S0-BDS-023

CHINA
BEGINNER'S/TRAVELER'S
DICTIONARY

CHINA BEGINNER'S/TRAVELER'S DICTIONARY

JĪCHŬ ZÌDIĂN
基础字典

English-Chinese **Chinese-English**
Yīng-Hàn **Hàn-Yīng**
英汉 汉英

in
Pinyin Romanization

Richard L. Kimball

Eurasia Press/China Books & Periodicals

© **1983, 1980 By EURASIA PRESS, INC.**
All rights reserved. No part of this book may be used or
reproduced in any manner whatsoever without permission in
writing from the publisher. Address inquiries to Eurasia Press,
302 Fifth Avenue, New York, NY 10001

Distributed to the trade by China Books and Periodicals,
2929 Twenty-fourth Street, San Francisco, CA 94110.

Third Printing, 1984
Library of Congress Catalog Card No. 80−66630
ISBN 0-8351-0732-9
Manufactured in Hong Kong

Typeset by Asco Trade Typesetting Ltd, Hong Kong.

Contents

Acknowledgments

I wish to acknowledge the following helpers who made this book possible: Jane Kimball, for encouragement, support and typing; Isabella Yang, for teaching, editing, suggesting and the proper formation of Hànzì and Pīnyīn; Lü Pei-Wu, for tedious struggle over proper selection of commonly used English-Mandarin equivalents; and to the Chinese people for helping me to learn Mandarin.

Introduction

This small dictionary of about 1500 words, phrases, and categories is specifically created for the visitor to China and the serious beginning student of the Chinese language.

Mandarin Chinese is spoken and written by over one-fourth of the world's population. The largest concentration of use is, of course, in the People's Republic of China (including the provincial island of Taiwan). Many "overseas" Chinese also speak Mandarin or a variation. Written Chinese (with the exception perhaps of the new, simplified characters) is common to all Chinese speakers regardless of dialect.

The Chinese language is rich and picturesque with thousands of years of history behind it. It reflects a culture, history, and logic that is sometimes quite different from that found in our English heritage.

Mandarin is one of the official working languages of the United Nations. It is the language of many of the Han people, who make up over 90% of the population of the People's Republic of China. Mandarin is based on the northern dialect spoken as a mother tongue by 70% of the Han. Beijing (Peking) dialect has been selected as the standard pronunciation. The form of Mandarin used in this dictionary is Pǔtōnghuà or "common people's speech."

Pīnyīn is the Romanized (alphabetized) form of Mandarin. The Chinese phonetic alphabet (CPA) has

Introduction

been devised to indicate the pronunciation of Chinese characters (hànzì). This tool makes it easy for the English speaker to learn Mandarin.

Each Chinese syllable has not only a given sound as indicated by spelling, but also a certain tone which determines its meaning. That is, one sound pronounced "ma" can have different meanings when spoken in different tones. (Actually, there are more than four tonal meanings to most syllables. The actual meaning can only be determined by context or hànzì. The beginner should not worry too much about this problem, because most meanings can be understood from context.) Correct pronunciation, including tones, is very important; in fact, it is the most important and difficult part of learning Mandarin. Much practice, preferably with tapes or a native speaker, is necessary so that proper intonation is perfected. The beginner will make many mistakes with pronunciation. Do not get too frustrated, because through practice and trial and error, acceptable communication will result.

The four tones:

English

This trail is *too* long.	tōo	first tone (high and flat)
To *be* or not to be, that is the question.	bé	second tone (rising tone)
Which *way* to the farm?	wǎy	third tone (falling low, then rising)
Yes, I *do*!	dò	fourth tone (abrupt falling tone)

A neutral tone is indicated by a small ˚. This tone usually follows one of the other tones and is pronounced at an even level. Neutral tone is a facilitating device showing a change in the last tone of a word from its original for convenience of pronunciation.

Mandarin Pīnyīn	*meaning*	*Hànzì*
mā	mother	妈
má	a family name	麻
mǎ	horse	马
mà	scold	骂
må	a word indicating a question	吗

Although this dictionary is written in English, Pīnyīn, and Hànzì, it is alphabetized and not organized by stroke number or character component. Hànzì is included for convenience and for those wishing to learn the "characterization" of a certain word.

How were these 1500 words chosen? Each word has been carefully selected because (1) it is either amongst the word (concept) vocabulary learned by most beginning learners of a language and/or (2) the word may be useful for the traveler. This selection is not meant to be exhaustive but convenient. It covers most of the vocabulary in beginning texts, phrase books, and language programs. A 10,000 word Pīnyīn-English, English-Pīnyīn dictionary exists, but it is neither convenient nor meant for the beginner. This dictionary also includes lists of specialized words for quick reference. A phrase

Introduction

list is also included on page 143. This list is selected from the most common phrases used by the traveler.

Mandarin is grammatically simple compared with most languages. A simple phrase book and language book (see Bibliography) should accompany this dictionary for most effective learning. I hope you will learn enough Mandarin to help enrich your Chinese experience.

Good speaking and learning!

Pronunciation Table

This is intended as a guide to the pronunciation of sounds in Pīnyīn

INITIALS	
q = *cheer*	u = r*u*de
x = *ship*	ü = German ü
z = rea*ds*	ai = I
c = tha*t's*	ao = n*ow*
zh = *large*	eng = close to *sung*
r = leisu*re*	ou = *old*
	ia = *ya*h
	ian = *yen*
FINALS	iang = *young*
o = s*aw*	uai = *wi*fe
e = French l*e*	ui = *wa*y
i = mach*i*ne	uan = close to *one*

Other letters and groups of letters have approximately the same sound as in English.

11

Key to the Chinese Phonetic Alphabet—Pīnyīn

I Initials

Chinese Phonetic Alphabet[1]	International Phonetic Alphabet	Key Words
b (o)	[b̥]	**b**ay (de-voiced[2])
p (o)	[pʻ]	**p**ay
m (o)	[m]	**m**ay
f (o)	[f]	**f**air
d (e)	[d̥]	**d**ay (de-voiced)
t (e)	[tʻ]	**t**ake
n (e)	[n]	**n**ay
l (e)	[l]	**l**ay
g (e)	[g]	**g**ay (de-voiced)
k (e)	[kʻ]	**k**ay
h (e)	[x]	**h**ay
j (i)	[tc]	**j**eep (palatal[3])
q (i)	[tcʻ]	**ch**eer (palatal)

[1] Saying the given sound plus the vowel in parentheses gives you the name of the letter. Thus you will be able to say the ABC's in Chinese.

[2] "De-voiced" means the vocal cords do not vibrate.

[3] "Palatal" means the front of the tongue touches the hard palate.

Key to be Chinese Phonetic Alphabet—Pīnyīn

x (i)	[c]	**sh**e (palatal)
zh (i)	[tʂ]	**j**u**d**ge (retroflex[4], de-voiced)
ch (i)	[tʂ']	**ch**ur**ch** (retroflex)
sh (i)	[ʂ]	**sh**irt (retroflex)
r (i)	[ʐ]	lei**s**ure (retroflex)
z (i)	[ts]	rea**ds** (de-voiced)
c (i)	[ts']	ha**ts**
s (i)	[s]	**s**ay
y (i)	[j]	**y**ea
w (u)	[w]	**w**ay

II Finals

C.P.A.	I.P.A.	Key Words
a	[a]	f**a**ther
o	[ɔ]	s**aw** (approximately)
e	[ɣ]	h**er** (British)
i (after z, c, s, zh, ch, sh, r)	[z.ʐ]	
i (elsewhere)	[i]	s**ee**

[4] "Retroflex" means the tip of the tongue is slightly curled.

u	[u]	rude
ü[5]	[y]	French **tu**, German **fühlen** (**i** with rounded lips)
er	[ər]	**err** (American)
ai	[ai]	**eye**
ei	[ei]	**eight**
ao	[ɑu]	now
ou	[ou]	**oh**
an	[an]	**can** (more open)
en	[ən]	t**urn** (British)
ang	[ɑŋ]	German **Gang**
eng	[ʌŋ]	s**ung**
ong	[uŋ]	German **Lunge**
ia	[ia]	Malay**sia**
ie	[iɛ]	**yes**
iao	[iɑu]	**yowl**
iu	[iou]	**yoke**
ian	[iɛn]	**yen**
in	[in]	**in**
iang	[iɑŋ]	**young** (approximately)
ing	[iŋ]	s**ing**
iong	[iuŋ]	German **jünger** (approximately)

ua	[ua]	**gua**no
uo	[uɔ]	**wa**ll
uai	[uai]	**wi**fe
ui	[uei]	**wa**y
uan	[uan]	**one** (approximately)
un	[uən]	**went** (approximately)
uang	[uɑn]	oo + ahng
üe[5]	[yɛ]	ü + eh
üan[5]	[yan]	ü + an
ün[5]	[yn]	German gr**ün**

[5] After j, q, x, y, the two dots above **u** are omitted.

Abbreviations Used in this Dictionary

(v.)   = verb
(n.)   = noun
(adv.)   = adverb
(adj.)   = adjective
(pron.) = pronoun
(v.i.)   = verb intransitive
(v.t.)   = verb transitive
(c.v.)   = co-verb

DICTIONARY

A

ENGLISH: PĪNYĪN   HÀNZÌ

a, an : yī; yígè   一, 一个

abdomen : dùzǐ   肚子

abdominal pain : dùzǐ téng   肚子疼

able : néng   能

about : guānyú   关于

above : zài ... zhī shàng   在…之上

accident : yìwài; shìgù   意外, 事故

achieve (make achievement) : huòdé;
    chéngjiù   获得, 成就

acid (taste) : suān   酸

acrobats : zájì   杂技

action : xíngdòng   行动

acupuncture : zhēnjiǔ   针灸

adaptor (plug) : duōyòng chāzuò   多用插座

add : jiā (zēng jiā)   加(增加)

address : dìzhǐ   地址

adult : dàrén   大人

advance : qiánjìn   前进

advanced : xiānjìndě   先进的

affair (business) : shìqíng   事情

afraid : pà   怕

after : yǐhòu   以后

afternoon : xiàwǔ   下午

afterwards : hòulái   后来

again : zài; yòu   再, 又

age : suì, niánjì   岁, 年纪

agency : dàilǐrén	代理人
ago : yǐqián	以前
agriculture : nóngyè	农业
air : kōngqì	空气
air mail : hángkōng	航空
airplane : fēijī	飞机
airport : fēijīchǎng	飞机场
alike : yíyàng	一样
all : suóyǒu (adj.)	所有
yíqiè (pron.)	一切
dōu (adv.)	都
allergy : guòmǐn	过敏
almost : chābùduō	差不多
alone : dāndú	单独
a lot : hěn duō	很多
aloud : dàshēng	大声
already : yǐjīng	已经
also : yě	也
altogether : yígòng	一共
always : zǒngshì	总是
am : shì	是
ambulance : jiùhùchē	救护车
American : Měiguórén	美国人
analyze : fēnxì	分析
ancient sites : gǔjī	古迹
and : hé; gēn	和,跟
angry : shēng qì	生气
animal : dòngwù	动物
animal (domesticated) : jiāchù	家畜
ankle : huái	踝

answer : huídá 回答

antibiotic : kàngshēnsù 抗生素

anxious : zháojí 着急

apple : píngguǒ 苹果

application, apply for : shēnqǐng 申请

approximately : zuǒyòu 左右

area : miànjī 面积

arm : gēbó; shǒubì 胳膊, 手臂

arrive : dàodá; láidào 到达, 来到

art : yìshù 艺术

artist : yìshùjiā 艺术家

Asia : Yàzhōu 亚洲

ask : wèn 问

aspirin : āsīpǐlín 阿斯匹林

at : zài 在

attend : chūxí 出席

attendant : fúwùyuán 服务员

audience : tīngzhòng 听众

auditorium : lǐtáng 礼堂

aunt (related) : yímā; jiùmā; gūmā; shěnshén 姨妈, 舅母, 姑妈, 婶婶

aunty (unrelated) : āyí (young); dàmā (old) 阿姨, 大妈

autumn : qiūtiān 秋天

away : líkāi 离开

awful : kěpàdě 可怕的

awhile : yìhuǎr 一会儿

B

back-behind : hòubiǎn(r); hòutou   后边, 后头
bad : huài   坏
baggage : xíngli   行李
baggage check : xíngli tuōyùndān   行李托运单
ballet : bālěiwǔ   芭蕾舞
bamboo : zhú   竹
bamboo shoot : sǔn   笋
banana : xiāngjiāo   香蕉
bandage (v.) : bāozā   包紮
      (n.) : bēngdài   绷带
bank : yínháng   银行
banquet : yànhuì   宴会
barber shop : lǐfádiàn   理发店
basketball : lánqiú   篮球
bathroom : xǐzǎodiàn; yùshì   洗澡店, 浴室
be (are) : shì   是
   (take up a profession) : dāng   当
bean : dòu (zǐ)   豆子
bean curd : dòufǔ   豆腐
bean sprout : dòuyá   豆牙
bean (i.e. stringbean) : biǎndòu   扁豆
beautiful : měili(dě); piàoliàng   美丽(的), 漂亮
because : yīnwěi   因为
bed : chuáng   床
bedroom : wòshì   卧室
beef : niúròu   牛肉
beer : píjǐu   啤酒
before : yǐqián   以前

begin : kāishǐ	开始
believe : xiāngxìn	相信
bell : líng	铃
belong : shǔyú	属于
below : xiàmiàn	下面
beside : pángbiān(r)	旁边（儿）
best : zuìhǎodě	最好的
better : bǐjiào hǎodě	比较好的
between : zài … zhījiān	在…之间
bicycle : zìxíngchē	自行车
big : dà	大
biology : shēngwùxué	生物学
bird : niǎo	鸟
birth : shēng	生
birthday : shēngrì	生日
bite : yǎo	咬
bitter (taste) : kǔ	苦
black : hēi (dě)	黑（的）
blackboard : hēibǎn	黑板
blanket : máotǎn	毛毯
blood : xiě; xuě	血
blow (wind) : guā (fēng)	刮（风）
blow (with mouth) : chuī	吹
blue : lán (dě)	蓝（的）
boat : chuán	船
body : shēntǐ	身体
boil : zhǔ	煮
boiled dumpling : shuǐjiǎo	水饺
boiled water (hot) : kāishuǐ	开水
boiled water (cooled) : lěng kāishuǐ	冷开水

book : shū	书
bookstore : shūdiàn	书店
bone : gǔtóu	骨头
bonzai : pénjǐng	盆景
boring : yàn	厌
borrow : jiè	借
both : dōu	都
bottom : xiàbiān(r); xiàtóu; dǐxià	下边, 下头, 底下
boundary : biānjiè	边界
bowl : wǎn	碗
bowels : chángzǐ	肠子
box : hézǐ	盒子
boy : nánhái(zǐ); nánháir	男孩(子); 男孩儿
brain : nǎozǐ	脑子
brandy : báilándì	白兰地
bread : miànbāo	面包
breakfast : zǎofàn	早饭
breathe : hūxī	呼吸
bright (adj.) : míngliàng (dě)	明亮(的)
bring : dài (laí)	带(来)
broken (out of order) : huàilě	坏了
broken (smashed) : puòlě	破了
brother (older) : gēgǒ	哥哥
brother (younger) : dìdì	弟弟
brown (color) : kāfēisè; zhōngsè	咖啡色, 棕色
brush : shuāzǐ	刷子
build : jiànzào	建造
build socialism : jiànshè shèhuìzhǔyì	建设社会主义
building (apt.) : lóu	楼
building (house) : fángzi	房子

burn : ránshāo; shāoshāng	燃烧, 烧伤
bus : gōnggòng qìchē	公共汽车
business : mǎi mài	买卖
busy : máng	忙
but : kěshì; dànshǐ	可是, 但是
butter : huángyóu	黄油
buy : mǎi	买

C

cadre : gànbù	干部
cake : dàngāo	蛋糕
call : hǎn	喊
called : jiào	叫
camera : zhàoxiàngjī	照相机
can : kěyǐ; néng; huì	可以, 能, 会
Canada : Jiānádà	加拿大
candy : táng	糖
capital (city) : shǒudū	首都
capital (money) : zījīn	资金
car : xiǎoqìchē	小汽车
careful : xiǎoxīn	小心
carrots : hóngluóbǒ	红萝卜
carry : dài	带
cat : māo	貓
catch : zhuāzhù	抓住
catty ($\frac{1}{2}$ kilogram) : jīn	斤
caves : yándòng	岩洞
cent : fēn	分

century : shìjì 世纪
certain : yídìng 一定
certainly, of course : dāngrán 当然
chair : yǐzǐ 椅子
chairman : zhǔxí 主席
chance : jīhùi 机会
change (v.t.) : gǎibiàn 改变
   (v.i.) : biànhuà 变化
 exchange : huàn 换
characteristic : tèdiǎn 特点
cheap : piányì 便宜
check (n.) : zhīpiào; zhàngdān 支票,账单
check (v.) : jiǎnchá 检查
check (traveler's) : lǚxíng zhīpiào 旅行支票
cheers! (bottoms up) : gānbēi 干杯
chest pain : xiōngkōu téng 胸口疼
chewing gum : kǒuxiāngtáng 口香糖
chicken : jī 鸡
 meat : jīròu 鸡肉
child : háizǐ 孩子
children : háizǐměn 孩子们
China : Zhōngguó 中国
Chinese characters : hànzì 汉字
Chinese food : Zhōngcān 中餐
Chinese language : Zhōngwén 中文
chocolate : qiǎokèlì 巧克力
choose : xuǎn 选
chopsticks : kuàizǐ 筷子
cigarette : xiāngyān 香烟
circle : yuánquān 圆圈

city : chéngshì　　　　　　城市

class (students) : kè　　　　课

   go to class : shàngkè　　上课

   end class : xiàkè　　　　下课

class (people) : bān　　　　班

class (society) : jiējí　　　　阶级

class (struggle) : jiējídòuzhēng　阶级斗争

classroom : jiàoshì　　　　教室

clean : gānjìng (de)　　　　干净(的)

climb : pá　　　　　　　爬

clock : zhōng　　　　　　钟

cloth : bù; liàozi　　　　　布, 料子

close : guān　　　　　　关

clothing : yīfu　　　　　　衣服

cloud : yún　　　　　　云

cloudy (overcast) : yīn　　阴

coach : fúdǎo; jiàoliàn　　辅导, 教练

coat : dàyī　　　　　　　大衣

coffee : kāfēi　　　　　　咖啡

cold (temperature) : lěng　冷

   catch cold : gǎn mào; shāngfēng　感冒, 伤风

collect : shōují　　　　　收集

color : yánsè　　　　　　颜色

come : lái　　　　　　　来

come in : jìnlái; qǐngjìn　进来, 请进

comfortable : shūfu(de)　舒服(的)

common : pǔtōng(de)　　普通(的)

commune : gōngshè　　　公社

compare : bǐjiào　　　　比较

completely : wánquán　　完全

comrade : tóngzhì	同志
construct (v.) : jiànzào	建造
contain (v.) : bāohán	包含
container : róngqì	容器
continent : zhōu	洲
cook (v.) : zhǔ	煮
cook (n.) : chúshī	厨师
cookies : bǐnggān	饼干
cool : liáng	凉
corn : yùmǐ	玉米
correct : duì	对
cost : zhí	值
cotton : miánhuā	棉花
cough : késòu	咳嗽
counter (sales) : guìtái	柜台
countryside : xiāngxià; nóngcūn	乡下, 农村
county : xiàn	县
course : kèchéng	课程
cow (animal) : niú	牛
cow (beef) : niúròu	牛肉
cry : kū	哭
cucumber : huángguā	黄瓜
cup : bēi(zǐ)	杯子
curtain : chuānglián; mù	窗帘, 幕
customer : gùkè	顾客
customs : fēngsù	风俗
customs (at boarder) : hǎiguān	海关
cut : qiē	切

D

dad : bàbǎ	爸爸
daily : tiāntiān	天天
dance (n.) : wǔdǎo	舞蹈
(v.) : tiàowǔ	跳舞
dangerous : wēixiǎn	危险
daughter : nǚér	女儿
dark : àn	暗
date : rìzǐ	日子
day : tiān	天
daytime : báitiān	白天
decide : juédìng	决定
deep : shēn	深
deer : lù	鹿
definitely : yídìng	一定
degree (temperature) : dù	度
delicious : hǎochī	好吃
describe : xíng róng	形容
desk : shūzhuō	书桌
desserts : gāodiǎn	糕点
dial : bō	拨
diarrhea : xièdùzi; lādùzi	泻肚子, 拉肚子
dictionary : zìdiǎn	字典
did : zuò	做
die : sǐ	死
different : bùtóng; bùyíyàng	不同, 不一样
difficult : nán	难
dig : wājué	挖掘
dime (ten cents) : máo	毛

dimsum : diǎnxīn		点心
dining room : fàntīng		饭厅
dirty : zāng		脏
discover : fāxiàn		发现
discuss : tǎolùn		讨论
dish (of food) : cài		菜
dislike : bùxǐhuān		不喜欢
distance : jùlí		距离
divide : fēnchéng		分成
do : zuò		做
do as you wish : suíbiàn nǐ		随便你
doctor : dàifu		大夫
medical : yīshēng		医生
does : zuò		作
dog : gǒu		狗
dollar : yuán		元
done : zuò		做
do not : bié; búyào		别, 不要
door : mén		门
doorway : ménkǒu		门口
dormitory : sùshè		宿舍
double room : shuāngrénfáng		双人房
down : xià		下
downstairs : lóuxià		楼下
dragon : lóng		龙
draw : huà		画
drink : hē		喝
drive : kāichē		开车
dry : gānzào		干燥
duck : yāzǐ		鸭子

dumpling : jiǎozǐ   饺子
during : dāng . . . shíhòu   当…时候
dynasty : cháodài   朝代

E

each : měi; měiyígè   每,每一个
ear : ěrduō   耳朵
early : zǎo   早
earn : zhuàn   赚
earth (soil) : tǔ   土
earth (planet) : dìqiú   地球
east : dōng   东
easy : róngyì   容易
eat : chī   吃
edge : biān(r)   边
education : jiàoyù   教育
effect : xiàoguǒ   效果
efficiency : xiàolǜ   效律
effort : nǔlì   努力
egg : jīdàn   鸡蛋
egg white : dànbái   蛋白
eggplant : qiézǐ   茄子
eight : bā   八
eighteen : shíbā   十八
eighth : dìbā   第八
eighty : bāshí   八十
either : huòshì   或是
electric : diàn   电

elevator : diàntī	电梯
eleven : shíyī	十一
embarrass : jiǒng	窘
embarrassed : bùhǎoyìsi	不好意思
embassy : dàshǐguǎn	大使馆
emergency : jǐnjíshìjiàn	紧急事件
emperor : huángdì	皇帝
employ : gù	雇
empty : kōng	空
enemy : dírén	敌人
energy : néngliàng	能量
end : jiéshù	结束
England : Yīngguó	英国
English : Yīngwén	英文
enjoy : xiángshòu	享受
enough : gòu	够
enter : jìnrù	进入
entire : zhěnggèdě	整个的
envelope : xínfēng	信封
equal : píngděng; děngyú	平等, 等于
equivalent to : zhéhé; xiāngdāng	折合, 相当
etc. (et cetera) : ... děngděng	等等
evening : wǎnshàng	晚上
every : suǒyǒudě; měiyígè	所有的, 每一个
everybody : suǒyǒuděrén; dàjiā	所有的人, 大家
everything (affairs) : suǒyǒuděshìqíng	所有的事情
everything (objects) : suǒyǒudōngxi	所有东西
everywhere : měiyígè dìfǎng; chùchǔ	每一个地方, 处处
exactly : wánquándě	完全的
example : lìzi	例子

excellent : hǎo jíle	好极了
excessive : tài	太
exchange : huàn	换
excuse me : duìbǔqǐ	对不起
exercise : liànxí	练习
exhibition : zhǎnlǎn	展览
exit : chūkǒu	出口
expensive : guì	贵
explain : jiěshì	解释
extension (telephone) : zhuǎn; fēnjī	转,分机
extra : éwài	额外
eye : yǎnjīng	眼睛

F

face : liǎn	脸
factory : gōngchǎng	工厂
factory building : chǎngfáng	厂房
fall (v.) : diéjiāo	跌交
fall (autumn) : qiūtiān	秋天
false : jiǎ	假
family : jiā	家
fan, electric fan : shànzǐ; diànshàn	扇子,电扇
far : yuǎn	远
farm : nóngchǎng	农厂
farmer : nóngrén	农人
fast : kuài	快
fat : pàng; féi	胖,肥
father : fùqīn	父亲

fear : pà	怕
February : Èryuè	二月
feel : juédé; gǎndào	觉得,感到
feeling : gǎnjué	感觉
female : nǚ	女
fever : fāshāo	发烧
few : shǎo	少
field : tián	田
fill : zhuāngmǎn	装满
film (movies) : diànyǐng; yǐngpiàn	电影,影片
finally : zuìhòu; zhōngyú	最后,终于
find : zhǎodào	找到
fine : hǎo	好
finger : shǒuzhǐtóu	手指头
finished : wánlě	完了
fire : huǒ	火
first : dìyī	第一
fish : yú	鱼
five : wǔ	五
flag : qízi	旗子
flavor : wèidào	味道
floor : dìxià; dìbǎn	地下,地板
flour : miànfěn	面粉
flower : huā(duǒ)	花(朵)
flu : gǎnmào	感冒
fluent : liúlì	流利
fly (v.) : fēi	飞
fly (n., insect) : cāngyíng	苍蝇
fog : wù	雾
follow : gēnsuí	跟随

food : fàn	饭
foot : jiǎo	脚
football (soccer) : zúqiú	足球
for : wèile	为了
foreign : wàiguóde	外国的
foreigner : wàiguórén	外国人
forenoon : shàngwǔ	上午
forest : shùlín; sēnlín	树林, 森林
forget : wàngjì	忘记了
forgot : wàngle	忘了
fork : chāzǐ	义子
forty : sìshí	四十
forward : wǎngqián	往前
four : sì	四
fourteen : shísì	十四
fourth : dìsì	第四
fragrant : xiāng	香
France : Fǎguó	法国
French (language) : Fǎwén	法文
freeze : dòng	冻
frequently : chángcháng	常常
friend : péngyǒu	朋友
friendship : yǒuyì	友谊
from : cóng	从
front : qiánbiān(r); qiántóu	前边, 前头
fruit : shuǐguǒ	水果
fruit juice : guǒzhī	果汁
fry (deep) (v.) : zhá	炸
fry (pan) (v.) : jiān	煎
full : mǎnle	满了

full (stomach)

full (stomach) : bǎo	饱
fun : hǎowánr	好玩
funny : kěxiào; hǎoxiào	可笑, 好笑
furniture : jiājù	家具

G

game : yóuxì	遊戏
garden : huāyuán	花园
garlic : suàn	蒜
gasoline station : jiāyóuzhàn	加油站
gate : mén	门
gentleman (Mr., Sir) : xiānsheng	先生
German (language) : Déwén	德文
Germany : Déguó	德国
get : ná	拿
go get : qǔ	取
get off : xià	下
get up, arise : qǐlái	起来
ginger : jiāng	薑
girl : nǚhar; nǚháizǐ	女孩儿, 女孩(子)
give : gěi	给
give back : huángěi	还给
glad (happy) : gāoxìng	高兴
glass (drinking) : bēizǐ	杯子
go : qù; zǒu	去, 走
go back : huíqù	回去
going to do something : jiāngyāo	将要
go to school : shàng xué	上学

go to work : shàngbān	上班
goat : shānyáng	山羊
gold : jīnzǐ	金子
good : hǎo	好
goodbye : zàijiàn	再见
good day (hello) : níhǎo	你好
good looking : hǎokàn	好看
good morning : zǎo	早
goose : é	鹅
govern : guǎnxiá	管辖
grammar : yúfǎ	语法
granddaughter : sūnnǚér	孙女儿
grandfather : yéyě	爷爷
grandmother : zǔmǔ; nǎinǎi	祖母, 奶奶
grandson : sūnzǐ	孙子
grasp : zhuā	抓
gray : huīdě	灰(的)
great : wěidà	伟大
green : lǜdě	绿的
ground : dì	地
group (n.) : tuántǐ	团体
measure word : yìqún	一羣
grow : zhǎng; zhòng	长, 种
guest : kèrén	客人
guide : xiángdǎo	响导
gun : qiāng	枪

H

habit : xíguàn	习惯
hair (body) : máo	毛
hair (head) : tóufà	头发
haircut : lǐfà	理发
half : yíbàn	一半
hall : guǎn	馆
ham : huótuǐ	火腿
hand : shǒu	手
happen : fāshēng	发生
happiness : kuàilè; xìngfú	快乐, 幸福
hard (difficult) : nán	难
harvest (good) : fēngshōu	丰收
has (have) : yǒu	有
has not : méiyǒu	没有
hat : màozǐ	帽子
hate : hèn	恨
he : tā	他
head : tóu	头
headache : tóuténg	头疼
health : jiànkāng	健康
healthy : jiànkāng	健康
hear : tīng	听
heart : xīn	心
heat : rèlì; rèliàng	热力, 热量
heavy : zhòng	重
hectare : gōngqǐng	公顷
hello : nǐhǎo	你好
hello (on the telephone) : wèi	喂

help : bāngzhù   帮助

her : tā   她

here : zhèr   这儿

hers : tādě   她的

high : gāo   高

highway : gōnglù   公路

hill : shān   山

him : tā   他

his : tādě   他的

history : lìshǐ   历史

hold (take) : ná   拿

hold (embrace) : bào   抱

holiday : jiàrì   假日

home : jiā   家

hope : xīwàng; pànwàng   希望, 盼望

hors d'oeuvres : diǎnxīn   点心

hors d'oeuvres (cold meat platter) :

    pīnpánr   拼盘

horse : mǎ   马

hospital : yīyuàn   医院

hot (temperature) : rè   热

hot (spicy) : là   辣

hotel : lǚguǎn; bīnguǎn   旅馆, 宾馆

hour : zhōngtóu; xiǎoshí   钟头, 小时

house : fángzi   房子

how : rúhé   如何

however : kěshì; búguò   可是, 不过

how far? : duōyuǎn   多远

how is it? : zěnme yàng   怎么样

how many? : duōshaǒ   多少

how many (under ten) : jǐgě 　　　几个
how much? : duōshǎo 　　　多少
humid : mēn 　　　闷
hundred : bǎi 　　　百
hungry : è 　　　饿
hurry : gǎnkuài 　　　赶快
husband : zhàngfǔ 　　　丈夫

I

I : wǒ 　　　我
ice : bīng 　　　冰
ice cream : bīngqílín 　　　冰淇淋
ice water : bīngshuǐ 　　　冰水
idea : yìsī 　　　意思
if : yàoshì; rúguǒ 　　　要是, 如果
ill : bìnglě 　　　病了
immediately : jiùyaò; lìkè 　　　就要, 立刻
important : zhòngyào 　　　重要
in : zài; lǐ (biǎn) 　　　在, 里 (边)
increase : zēngjiā 　　　增加
indeed : díquè 　　　的确
industry : gōngyè 　　　工业
inexpensive : piányì 　　　便宜
injection : dǎzhēn 　　　打针
inquire : xúnwèn 　　　询问
insect : kūnchóng 　　　昆虫
inside : lǐtóu; lǐbiǎn(r) 　　　里头, 里边 (儿)
intelligent : cōngmíng 　　　聪明

interesting : yǒuyìsī   有意思
interpreter : fānyì   翻译
into : jìnrù   进入
introduce : jièshào   介绍
investigate : diàochá   调查
iron : tiě   铁
is : shì   是
it : tā; zhè   它,这
Italian (language) : Yìwén; Yìdàlìwén   意文,意大利文
Italian money : yìbì   意币
Italy : Yìdàlì   意大利
itch : yǎng   痒

J

jacket (coat) : wàitào; duǎnwáiyī   外套,短外衣
jacket (cotton padded) : duǎnǎo   短袄
jail : jiānyù   监狱
Japan : Rìběn   日本
Japanese language : Rìwén   日文
Japanese money : rìbì   日币
Japanese person : Rìběnrén   日本人
jaw : è; xià'è   颚,下颚
jet (plane) : pēnshèjī   喷射机
job : gōngzuò   工作
joke : xiàohuàr   笑话
journey : lǚxíng   旅行
joy : yùkuài; kuàilè   愉快,快乐
juice : zhī; shuǐguǒzhī   汁,水果汁

jump

jump : tiào	跳
just : gānggāng	刚刚
justice (fairness) : gōngzhèng	公正

K

keep : bǎoliú	保留
key : yàoshí	钥匙
kick : tī	踢
kill : shā	杀
kilometer : gōnglǐ	公里
kind (n.) : zhǒng (lèi)	种类
kindness : hé qì	和气
kitchen : chúfáng	厨房
knee : xīgài; xī	膝盖, 膝
knife : dāozi	刀子
knock : qiāo (mén)	敲门
know : zhīdào	知道
know how to (be able to) : huì	会

L

labor (power) : láolì	劳力
laborer : láogōng	劳工
lack : quēshǎo	缺少
lady (a female) : nǚshì	女士
lady (Miss) : xiǎojiě	小姐
lake : hú	湖

42

lamb (sheep) : miányáng; xiǎoyáng　　绵羊,小羊

lamb (meat) : yángròu　　羊肉

lamp : dēng　　灯

land : tǔdì　　土地

landscape : shānshuǐ　　山水

lane : hútòng; xiǎoxiàng　　胡同,小巷

language : yǔyán　　语言

large : dà　　大

largest : zuìdàdě　　最大的

last : zuìhòudě　　最后(的)

late : wǎn　　晚

later : yǐhòu　　以后

laugh : xiào　　笑

laundry : xǐrǎndiàn　　洗染店

lay (put) down : fàngzhě　　放着

lazy : lǎn　　懒

lead : dài; lǐng　　带,领

leader (of country) : lǐngxiù; lǐngdǎo　　领袖,领导

leader (of group) : tuánzhǎng　　团长

leaf : shùyè; yèzì　　树叶,叶子

lean (slim) : shòu　　瘦

learn : xué　　学

leave : líkāi　　离开

left (side) : zuǒ　　左

leg : tuǐ　　腿

lemon : níngméng　　柠檬

less : shǎo　　少

lesson : kè; jiàoxùn　　课,教训

less than : búdào　　不到

let : ràng　　让

letter : xìn	信
library : túshūguǎn	图书馆
lichee : lìzhī	荔枝
lie down : tǎngxià	躺下
life : shēnghuó; shēngmìng	生活，生命
light : dēng	灯
lightweight : qīng	轻
like : xǐhuān	喜欢
like (alike) : xiàng	像
likely : dàgài	大概
listen : tīng	听
literature : wénxué	文学
little (a) : yìdiǎn(r)	一点（儿）
little (small) : xiǎo	小
live (reside) : zhù	住
live (alive) : huó	活
living room : kètīng	客厅
location : dìfāng; dìdiǎn	地方，地点
lock-up : suǒ	锁
lonely : gūdú	孤独
long : cháng	长
longlife : wànsuì	万岁
longtime : hěnjiǔ	很久
look : kàn	看
look for : zhǎo	找
look (take a …) : kànkàn	看看
lose : diū	丢
lotus root : ǒu	藕
loud : dàshēng	大声
lounge (restroom) : xiūxǐshì	休息室

love : ài 爱
low : dī 低
luggage : xínglǐ 行李
lunch : zhōngfàn; wǔfàn 中饭, 午饭
lung : fèi 肺
lying down : tǎngxià 躺下

M

machine : jīqì 机器
made : zuò 做
made (custom made) : dìng zuò 订做
magazine : zázhì 杂志
magnificent : zhuāngyán 庄严
mail (n.) : yóujiàn 邮件
mail (v.) : jìxìn 寄信
mail (airmail) : háng kōng xìn 航空信
mail (regular mail) : píngxìn 平信
main : zhǔyàodě 主要的
major (main) : zhǔyàodě 主要的
make : zuò 做
male : nándě 男的
male (animal) : xióngdě 雄的
man (person) : rén 人
manage : guánlǐ 管理
manufacture : zhìzào 制造
many : hěnduō; duō 很多, 多
　　How many? : duōshǎo 多少
　　How many? (less than 10) : jǐgě 几个

45

map : dìtú	地图
marry : jiéhūn	结婚
martial arts : wǔshù	武术
masses (crowd) : qúnzhòng	群众
matter : wùzhī	物质
What's the matter? : shénmǒ shì qíng?	什么事情
May (month) : Wǔyuè	五月
may : kěyǐ	可以
maybe : yéxǔ; kěnéng	也许, 可能
me : wǒ	我
meal : fàn	饭
meaning : yìsǐ; yìyì	意思, 意义
meaningful : yǒuyìyì	有意义
meaningless : méiyǒu yìyì	没有意义
measure : liáng	量
measurement : chǐdù	尺度
meat : ròu	肉
medicine : yào	药
meet : huìjiàn	会见
meeting (n.) : huìyì	会议
meeting (v.) : kāihuì	开会
melon (water) : xīguā	西瓜
melon (honey) : hāmìguā	哈蜜瓜
member : chéngyuán	成员
mend : bǔ	补
menu : càidān; càipǔ	菜单, 菜谱
merchandise (goods) : huò	货
message : xìnxī	信息
message (news) : xiāoxī	消息
metal : jīnshǔ	金属

meter (39′′) : mǐ; gōngchǐ	米,公尺
method : fāngfǎ	方法
middle : zhōng; zhōngjiànr	中,中间(儿)
midnight : bànyè; wǔyè	半夜,午夜
mile : yīnglǐ	英里
milk : niúnǎi	牛奶
million : bǎiwàn	百万
mind : nǎo(zǐ)	脑(子)
mineral water : kuàngquánshuǐ	矿泉水
minibus : miànbāochē	面包车
minute : fēn	分
mirror : jìngzǐ	镜子
Miss : xiǎojiě; nǔshì	小姐,女士
mistake : cuòwù	错误
Mister (Mr.) : xiānshěng	先生
Monday : Xīngqīyī	星期一
money : qián	钱
month : yuè	月
moon : yuèliàng	月亮
more : duō	多
morning : shàngwǔ; zǎoshàng	上午,早上
most : zuì	最
mother : mǔchǐn; māmǎ	母亲,妈妈
mountain : shān	山
mouth : kǒu	口
move (v.t.) : bān	搬
(v.i.) : dòng	动
movies : diànyǐng	电影
much : hěnduō	很多
How much? : duōshǎo?	多少
multiply : chéng	乘

muscle : jīròu	肌肉
museum : bówùguǎn	博物馆
mushroom : muógū	蘑菇
music : yīnyuè	音乐
must : bìxū	必须
my, mine : wǒdě	我的
myself : wǒzìjǐ	我自己

N

name : xìngmíng; míngzi	姓名, 名子
surname : xíng	姓
called, named : jiào	叫
napkin : cānjīn	餐巾
narrow : xiázhǎi	狭窄
nation : guó	国
native : běndìdě	本地的
nature : zìrán	自然
character : xìnggé	性格
near : jìn	近
nearly : chàbǔduō	差不多
necessary : bìxū	必须
neck : bózi	脖子
need : xūyào	须要
neighbor : línjū	邻居
neither : jìbū … yòubù	既不…又不
never : yǒngbù; cóngméi	永不,从没
new : xīn	新
news : xīnwén	新闻

newspaper : bàozhǐ	报纸
next : xiàyígè	下一个
nice : liáng; hǎo	良, 好
nighttime : yèlǐ	夜里
nine : jiǔ	九
nineteen : shíjiǔ	十九
ninety : jiǔshí	九十
no, not : bù; méi	不, 没
nobody, no one : meírén	没人
noisy : chǎo	吵
noodle(s) : miàntiáo	面条
noon : zhōngwǔ	中午
north : běi	北
nose : bízi	鼻子
not bad : búcuò	不错
not well : bùshūfú	不舒服
novel : xiǎoshuō	小说
November : Shíyīyuè	十一月
now : xiànzài	现在
number (cardinal) : hào	号
number (ordinal) : shùmù	数目

O

objects : dōngxi	东西
occupied (toilet) : yǒurén	有人
occupied (telephone) : zhànxiàn	占线
occur : fāshēng	发生
ocean : yáng	洋

o'clock : diǎnzhōng　　　点钟
October : Shíyuè　　　十月
of : zhī, shǔyú　　　之,属于
of course : dāngránle　　　当然了
off (shut) : guān　　　关
office : bàngōngshì　　　办公室
often : chángcháng　　　常常
oil (cooking) : yóu　　　油
okay : hǎoba　　　好吧
old (person) : lǎo　　　老
old (used) : jiù　　　旧
on : zài　　　在
once : yícì; céngjīng　　　一次,曾经
one : yī　　　一
one hundred : yìbǎi　　　一百
onion : cōng　　　葱
only : zhǐyǒu　　　只有
open (v.i.) : zhāngkāi　　　张开
　　(v.t.) : dǎkāi　　　打开
opera : gējù　　　歌剧
operation (n.) : shǒushù　　　手术
opinion : yìjiàn　　　意见
opportunity : jīhuì　　　机会
or : háishì　　　还是
orange juice : júzhī　　　桔汁
orange color : júsè　　　桔色
orange soda : júzǐshuǐ　　　桔子水
order (n.) : dìngzuò　　　定做
　　(v.) : jiào　　　叫
order (in order) : cìxù　　　次序

order food : diǎncài 点菜
ordinary : pǔtōng 普通
original : yuánlái 原来
other : biédě 别的
ought to : yīngdāng 应当
our : wǒméndě 我们的
out (to go) : chūqù 出去
outlet (electric) : chāxiāo 插销
outside : wàitóu; wàibiān(r) 外头, 外边(儿)
outside line (telephone) : wàixiàn 外线
over : zài … zhīshàng 在…之上
overcoat : dàyī 大衣
overcome : kèfú 克服
owner : zhǔrén 主人

P

package : bāoguǒ 包裹
pack (and ship) : zhuāngyùn 装运
pack (v.) : bāozhuāng 包装
pain : téng 疼
   abdominal pain : dùzĭténg 肚子疼
   headache pain : tóuténg 头疼
   stomach pain : wèiténg 胃疼
panorama : quánjǐng 全景
pants : chángkù; kùzĭ 长裤, 裤子
papa : bàbǎ 爸爸
paper : zhǐ 纸
parents : fùmǔ; shuāngqīng 父母, 双亲

51

park (n.) : gōngyuán 公园

park (v.) : tíngchē 停车

part (portion) : bùfēn 部分

pass : guò; jīngguò 过, 经过

passport : hùzhào 护照

past : cóngqián; guòqù 从前, 过去

path : xiǎolù 小路

patient (n.) : bìngrén 病人

patient (adj.) : nàixīn 耐心

pattern (kind, style) : yàngzi 样子

pay (v.) : gěiqián 给钱

peace : ān; hépíng 安, 和平

peach : táo 桃

peanut : huāshēng 花生

pear : lí 梨

peasant : nóngmín 农民

    poor peasant : pínnóng 贫农

pen : gāngbǐ 钢笔

    ballpoint pen : yuánzǐbǐ 原子笔

pencil : qiānbǐ 铅笔

people : rénmén; rénmín 人们, 人民

pepper (chili) : làjiāo 辣椒

pepper (ground) : hújiāofěn 胡椒粉

perform (on stage) : biǎoyǎn 表演

perhaps : yéxǔ 也许

permission : xǔkě 许可

persimmon : shìzi 柿子

person : rén 人

pharmacy : yàofáng 药房

phoenix : fèng 凤

photo (snapshot) : zhàopiàn; xiàngpiàn
照片, 相片

photograph (v.) : zhàoxiàng
照相

pick (choose) : tiāoxuǎn
挑选

pick-up (thing) : jiǎnqǐlái
捡起来

pictorial : huàbào
画报

picture : túhuà
图画

piece : kuài
块

pig : zhū
猪

pill : yàowán
药丸

pillow : zhěntóu
枕头

pineapple : bōluó
菠萝

pingpong : pīngpāngqiú
乒乓球

pink : fěnhóng(dě)
粉红的

place : dìfāng
地方

plan (n.) : fázǐ; jìhuà
法子, 计划

plan (v.) : dǎxuàn
打算

plate : pánzi
盘子

play (n.) : huàjù
话剧

play (v.) : wánr
玩

playground : cāochǎng
操场

please : qǐng
请

pleasure : yùkuài; kuàilè
愉快, 快乐

plug (electric) : chāxiāo
插销

plus : duō
多

plus (math) : jiā
加

pocket : kǒudàr
口袋儿

police : jǐngchá
警察

police station : jǐngchájú
警察局

polish (v.) : cā
擦

53

polite

polite : kèqi	客气
politics : zhèngzhì	政治
poor : qióng; méiqián	穷, 没钱
poor peasant : pínnóng	贫农
pork : zhūròu	猪肉
position (place) : wèizhì	位置
possible : kěnéng	可能
postage (cost) : yóuzī	邮资
postage stamp : yóupiào	邮票
postcard : míngxìnpiàn	明信片
post office : yóujú	邮局
pot (tea) : cháhú	茶壶
potato : tǔdòu	土豆
pound (weight) (n.) : bàng	磅
pound (v.) : qiāodǎ	敲打
pour : dào	倒
practice (n.) : shíjiàn	实践
practice (v.) : liànxí	练习
prepare : yùbèi; zhǔnbèi	预备, 准备
present (n.) : lǐwù	礼物
present (v.) : sònggěi	送给
pretty : hǎokàn; piàoliàng	好看, 漂亮
price : jiàqián	价钱
prison : jiānyù	监狱
probably : dàgài	大概
problem : wèntí	问题
proceed : jìxù	继续
product : chǎnpǐn	产品
production : shēngchǎn	生产
program : jiémù	节目

54

progress : jìnbù 进步
prohibit : jìnzhǐ 禁止
bùzhǔn (colloquial) 不准
promise (n.) : nuòyán 诺言
(v.) : dāyìng 答应
pronunciation : fāyīn 发音
properly : shìdàngdě 适当的
province : shěng 省
pull : lā 拉
pulse : màibó 脉搏
purpose : mùdì 目的
purse : qiánbāo 钱包
push : tuī 推
put : fàng 放
put on : zhuāng 装

Q

quality : zhìliàng 质量
quantity : shùliàng 数量
quarter hour : kè 刻
question : wèntí 问题
quick : kuài 快
quiet : ānjìng 安静
quit : tíngzhǐ; fàngqì 停止, 放弃
quite : xiāngdāng 相当

R

radio : shōuyīnjī	收音机
railway : tiělù	铁路
railway station : huǒchēzhàn	火车站
rain : yǔ	雨
rather : xiāngdāng; nìngkě	相当, 宁可
razor : guāhúdāo	刮胡刀
read : kànshū	看书
read aloud : niàn	念
real : zhēndě	真的
really : quèshí	确实
reason (n.) : dàolǐ; lǐyóu	道理, 理由
receipt : shōujù; fāpiào	收据, 发票
receive : shōudào	收到
recently : jìnlái; zuìjìn	近来, 最近
red : hóng	红
registration desk : dēngjìtái	登记抬
relation : guānxì	关系
relatively : bǐjiào; xiāngduìdě	比较, 相对的
relevance : yǒuguānxidě	有关系的
remain : shèngxiàdě	剩下的
remember : jìdě	记得
repair : xiūlǐ	修理
repeat : chóngfù; qǐngzàishuō	重复, 请再说
reply : huídá	回答
require : xūyào	需要
resemble : xiàng	像
reservation : yùdìng	预定
reserve : yùdìng	预定

reside : zhùzài　　　　　　　　住在
rest : xiūxǐ　　　　　　　　　　休息
restaurant : fànguǎn　　　　　　饭馆
result : jiéguǒ　　　　　　　　　结果
return : huílái; huíqù　　　　　回来,回去
review : fùxí　　　　　　　　　　复习
revolution : gémìng　　　　　　革命
rice : mǐ　　　　　　　　　　　　米
　　boiled rice : mǐfàn; fàn　　米饭, 饭
rice-flour-meat : mǐfěnròu　　米粉肉
rice gruel : xīfàn　　　　　　　稀饭
rich : fù　　　　　　　　　　　　富
ride (in, on) : zuò　　　　　　　坐
ride (astride) : qí　　　　　　　骑
right (correct) : duì　　　　　　对
right hand : yòushǒu　　　　　　右手
right side : yòubian(r)　　　　　右边
right : shìdě　　　　　　　　　是的
　　that's right : dùilě　　　　对了
rise : qǐlái　　　　　　　　　　　起来
river : hé; jiāng　　　　　　　　河,江
river valley : hégǔ　　　　　　　河谷
roast : kǎo　　　　　　　　　　　烤
road : lù　　　　　　　　　　　　路
room : fángjiān　　　　　　　　房间
room (dining) : fàntīng　　　　饭厅
room (double) : shuāngrénfáng　双人房
room (single) : dānrénfáng　　单人房
room number : fánghào　　　　房号
rough : cūzàodě　　　　　　　　粗糙的

round : yuándě   圆的
row (n.) : háng   行
ruined : huàilě   坏了
run : pǎo   跑
rush (v.) : chōng   冲

S

safe : ānquán   安全
salesperson : shòuhuòyuán; diànyuán   售货员,店员
salt : yán   盐
same : yíyàng   一样
satisfactory : mǎnyìdě   满意的
satisfied : mǎnyì   满意
Saturday : Xīngqīliù   星期六
save (life) : jiù (shēng)   救(生)
say, said : shuō   说
scenery : jǐngsè; fēngjǐng   景色,风景
school : xuéxiao   学校
school (elementary) : xiǎoxué   小学
school (high) : gāozhōng   高中
school (middle) : zhōngxué   中学
school (university) : dàxué   大学
schoolmate : tóngxué   同学
science : kēxué   科学
sea ocean : hǎi; yáng   海,洋
seafood : hǎixiān   海鲜
season : jìjié   季节
seat (n.) : zuòwèi   座位

secret : mìmǐ   秘密

see : kàn   看

seems : hǎoxiàng   好像

select : tiāoxuǎn   挑选

self : zìjǐ   自己

sell : mài   卖

send : sòng   送

send letter : jìxìn   寄信

sentence : jùzǐ   句子

separate : gékāi   隔开

September : Jiǔyuè   九月

serious : yánzhòng   严重

seven : qī   七

seventeen : shíqī   十七

seventy : qīshí   七十

several : hǎojǐ(gè)   好几(个)

sex (gender) : xìngbié   性别

shake (hands) : wòshǒu   握手

shallow : qiǎn   浅

sharp : fēnglì   锋利

shave : guāhúzǐ   刮胡子

she : tā   她

sheep : yáng   羊

sheet (measure for paper) : zhāng   张

ship : chuán   船

shirt : chènshān   衬衫

shoe : xié(zǐ)   鞋(子)

shop (n.) : xiǎomàibù   小卖部

shop (v.) : mǎidōngxi   买东西

shopping : mǎidōngxi   买东西

short (thing) : duǎn	短	
short (height) : ǎi	矮	
shortly : yìhuǎr	一会儿	
should : yīngdāng	应当	
shoulder : jiān	肩	
show (n.) : biǎoyǎn	表演	
(v.) : xiàn (v.i.), biǎoshì (v.t.)	现, 表示	
shut : guān	关	
sick : bìng	病	
sickness : bìng	病	
side : biān(r)	边(儿)	
sightseeing : yóulǎn	游览	
silent : ānjìng	安静	
silk : sīliàozǐ	丝料子	
similar (same) : yíyàng; hěnxiàng	一样, 很像	
simple : róngyì	容易	
since (adv.) : jìrán	既然	
sing : chànggēr	唱歌	
sister (older) : jiějiě	姐姐	
sister (younger) : mèimèi	妹妹	
sit : zuò	坐	
six : liù	六	
sixteen : shíliù	十六	
sixty : liùshí	六十	
size : dàxiǎo	大小	
skilled : shúliàndě	熟练的	
skirt : qúnzǐ	裙子	
sky : tiān	天	
sleep : shuìjiào	睡觉	
slow : màn; mànyìdiǎn(r)	慢, 慢一点(儿)	

slowly : mànmārde	慢慢儿的
small : xiǎo	小
smart : cōngmíng	聪明
smell (n.) : wèi	味
smell (v.) : wén	闻
smile : wēixiào	微笑
smoke : chōuyān; xīyān	抽煙, 吸煙
snake : shé	蛇
snow : xuě	雪
snowing : xiàxuě	下雪
so : rúcǐ; zhèyàng; suǒyǐ	如此, 这样, 所以
soap : féizào	肥皂
socks : wàzi	袜子
soda pop : qìshuǐ	汽水
soil : tǔrǎng	土壤
solve : jiějué	解决
some : yìxiē; mǒuyígè	一些, 某一个
someday : yǒuyìtiān	有一天
someone : yǒuyígèrén	有一个人
sometimes : yǒushí	有时
son : érzi	儿子
song : gē(r)	歌(儿)
soon : bùjiǔ	不久
sore throat : hóulóngténg	喉咙疼
sorry : duìbùqǐ	对不起
sound : shēngyīn	声音
soup (thin) : tāng	湯
(thick) : gēng	羹
sour : suān	酸
south : nán	南

Soviet Union

Soviet Union : Sūlián	苏联
Soviet language (Russian) : Èwén	俄文
soy sauce : jiàngyóu	酱油
speak : shuōhuà	说话
special : tèbié	特别
species : zhǒnglèi	种类
spectator : guānzhòng	观众
spend (time) : huāfèi	花费
spend (money) : huāqián	花钱
spinach : bōcài	菠菜
spoon : shǎo	勺
sports : tǐyù; yùndòng	体育,运动
spring (season) : chūntiān	春天
square : fāng	方
stadium : tǐyùguǎn	体育馆
stairs : lóutī	楼梯
stamp : yóupiào	邮票
stand : zhànlì	站立
start : kāishǐ	开始
state (nation) : zhōu; guójiā	州,国家
station : zhàn	站
steam (n.) : zhēngqì	蒸气
(v.) : zhēng	蒸
steamed bread (roll) : mántou	馒头
steamed bun : bāozǐ	包子
steamed dumpling : jiǎozǐ	饺子
steel : gāng	钢
step (stage) : bùfǎ	步法
step (footstep) : bùzǐ	步子
(v.) : mài	迈

still : hái	还
stir fry : chǎo	炒
stomach : wèi	胃
stone : shítóu	石头
stop : tíngzhǐ; tíng	停止,停
store : diàn; pùzǐ	店,铺子
story : gùshǐ	故事
straight : yīzhí; zhídě	一直,直的
straighten : nòngzhí	弄直
strength : lìliàng; lìqǐ	力量,力气
street : jīe	街
string : shéngzǐ	绳子
string beans : biǎndòu	扁豆
struggle : zhēngzhá	争扎
student : xuéshēng	学生
study : xué; xuéxí	学,学习
study room : shūfáng	书房
stupid : bèn	笨
style : yàngzǐ	样子
suburb : jiāoqū	郊区
successful, successfully : chénggōngdě	成功的
successively : yìlián; liánxù	一连,连续
sugar : táng	糖
suit (of clothes) : xīzhuāng	西装
suitable : héshì	合适
suitcase : xiāngzǐ	箱子
summer : xiàtiān	夏天
sun : tàiyáng	太阳
sunrise : rìchū	日出

sunset : rìluò 日落
Sunday : Xīngqīrì 星期日
supper : wǎnfàn 晚饭
support : zhīchí 支持
sure : yídìng 一定
surname : xìng 姓
surprise : jīngqí 惊奇
surround : wéi 围
sweat (n.) : hàn 汗
    (v.) : chūhàn 出汗
sweet : tián 甜
sweet and sour : tiánsuān 甜酸
sweet and sour fish : tángchùyú 糖醋鱼
swim : yóuyǒng 游泳
switchboard : zhǒngjī 总机
symptom : zhèngzhuàng 症状

T

table : zhuōzǐ 桌子
take : ná 拿
takeaway : názǒu; dàizǒu 拿走,带走
talk : tánhuà 谈话
talk together : tántán 谈谈
tall : gāo 高
taste (n.) : wèi 味
taste (v.) : cháng 赏
taxi : chūzūqìchē 出租汽车
tea : chá 茶

teacup : chábēi 茶杯

tea pot : cháhú 茶壶

teach : jiāo 教

teacher : lǎoshī; xiānshěng 老师, 先生

teaching faculty : jiàoyuán 教员

teeth, tooth : yáchǐ 牙齿

telegram : diànbào 电报

telephone (n.) : diànhuà 电话

telephone (v.) : dǎdiànhuà 打电话

telephone (longdistance) :
    chángtúdiànhuà 长途电话

television : diànshì 电视

tell : gàosù 告诉

temperature : wēndù 温度

    fahrenheit : huáshǐ 华氏

    centigrade : shèshǐ 摄氏

ten : shí 十

test (exam) : kǎoshì 考试

text : kèwén 课文

textiles : fǎngzhīpǐn 纺织品

than : bǐ 比

thanks : xièxiè 谢谢

that : nèi; nà 那

theater : jùyuàn; jùchǎng 剧院, 剧厂

their : tāměndě 他们的

then : ránhòu 然后

there : nàr; nàlǐ 那儿, 那里

therefore : suǒyǐ 所以

there is (are) : yǒu 有

there is not : méiyǒu 没有

65

thermometer : wēndùbiǎo	温度表
thermos : nuǎnshuǐpíng	暖水瓶
these : zhèxiē	这些
they, them : tāmён	他们
thick : hòu	厚
thin : shòu; bó	瘦, 薄
thing : dōngxi	东西
think : xiǎng	想
third : dìsān	第三
thirsty : kě; kǒugān	渴, 口干
thirteen : shísān	十三
thirty : sānshí	三十
this : zhè	这
those : nèixiē	那些
thousand : yìqiān	一千
ten thousand : yìwàn	一万
hundred thousand : shíwàn	十万
three : sān	三
throat : hóulóng	喉咙
throw : rēng; diūdiào	扔, 丢掉
thunder : léi	雷
Thursday : Xīngqīsì	星期四
ticket : piào	票
tie up : kǔnqǐlái	捆起来
tight : jǐn	紧
time : shíhǒu	时候
times (how many) : cì	次
tired : lèi	累
to : duì; dào; gěi	对, 到, 给
to be : shì	是

toast : kǎomiànbāo　　　　　烤面包
today : jīntiān　　　　　　今天
toe : jiǎozhǐtou　　　　　　脚指头
together : yīqǐ; yíkuài(r)　　一起, 一块儿
toilet : cèsuǒ　　　　　　　厕所
toilet paper : wèishēngzhǐ　卫生纸
tomato : xīhóngshì　　　　　西红柿
tomorrow : míngtiān　　　　明天
tongue : shétou　　　　　　舌头
too (also) : yě　　　　　　　也
too (excess) : tài　　　　　太
toilet : cèsuǒ　　　　　　　厕所
tool : gōngjù　　　　　　　工具
toothache : yáténg　　　　　牙疼
top : shàngtou; shàngbiǎn(r)　上头, 上边
tortoise : wūguī　　　　　　乌龟
tour group : lǚxíngtuán　　旅行团
tour leader : tuánzhǎng　　团长
tour members : chéngyuán　成员
toward (direction) : wàng; cháoxiàng　往, 朝向
towards (regarding) : gūanyú　关于
towel : máojīn　　　　　　毛巾
train : huǒchē　　　　　　火车
train station : huǒchēzhàn　火车站
translate : fān; fānyì; fānchéng　翻, 翻译, 翻成
translator : fānyì　　　　　翻译
travel : lǚxíng　　　　　　旅行
travel agency, service : lǚxíngshè　旅行社
tree : shù　　　　　　　　树
trees : shùmù　　　　　　　树木

true : zhēndě	真的
truth : zhēnlǐ	真理
try : shìyíshì	试一试
Tuesday : Xīngqíèr	星期二
turn (v.) : guǎiwān	拐湾
turn (off) : guānshàng	关上
turnip : luóbǒ	萝蔔
twelve : shíèr	十二
twenty : èrshí	二十
two : èr; liǎng	二, 两
type (kind) : yàng; zhǒnglèi	样, 种类
type (v.) : dǎzì	打字

U

ugly : bùhǎokàn; chǒu; nánkàn	不好看, 丑, 难看
umbrella : yǔsǎn	雨伞
uncle (older) : dàyě	大爷
uncle (younger) : shùshǔ	叔叔
under : xiàbiān(r)	下边 (儿)
understand : dǒng	懂
United States : Měiguó	美国
university : dàxué	大学
unoccupied (toilet) : wúrén	无人
until : zhídào	直到
up : shàng	上
upon : zaì … shàng miàn	在…上面
upstairs : lóu shàng	楼上
us : wǒmén	我们

use : yòng	用
used : jiù (dě)	旧(的)
useful : yǒuyòng	有用
useless : méiyǒuyòng	没有用
usually : chángcháng	常常
utensil : yòngjǔ	用具

V

vacation : fàngjià	放假
valley : shāngǔ	山谷
vase : huāpíng	花瓶
vegetable : cài; shūcài; qīngcài	菜, 蔬菜, 青菜
vehicle : chē	车
very : hěn; fēicháng	很, 非常
village : cūnzhuāng; cūnzi	村庄, 村子
vinegar : cù	醋
visit : cānguān; fǎngwèn	参观, 访问
visitor (guest) : kèrén	客人
vocabulary : cíhuì	词汇
vodka : édékè	俄得克
voice : shēngyīn	声音
voltage : diànyā	电压
volts : fútè	伏特
volume (book) : běn	本
volume (amount) : tǐjí	体积

W

wait : děng	等
wake-up : qǐchuáng; xǐnglái	起床, 醒来
walk : zǒu	走
stroll : sànbù	散步
wall : qiáng	墙
wallet : píjiár	皮夹
want : yào	要
war : dǎzhàng	打仗
warm : nuǎnhuǒ	暖和
wash : xǐ	洗
watch (n.) : biǎo	表
(v.) : kàn	看
water : shuǐ	水
watermelon : xīguā	西瓜
way : lù	路
way out : fǎzǐ	法子
we : wǒmén	我们
wear : chuān	穿
weather : tiānqì	天气
Wednesday : Xīngqīsān	星期三
week : xīngqī	星期
last week : shàngxīngqī	上星期
next week : xiàxīngqī	下星期
welcome (v. or n.) : huānyíng	欢迎
welcome (v.) : yíngjiē	迎接
well (good) : hǎo	好
well (water, oil) : jǐng	井
west : xī	西

western breakfast : sīshìzǎofàn   西式早饭

western food : xīcái; xīcān   西菜, 西餐

wet : cháoshī   潮湿

what : shénmě   什么

wheat : màizě   麦子

wheel : lúnzǐ   轮子

when : shénmě shíhǒu   什么时候

where : nǎr; shénmě dìfang   哪儿, 什么地方

whether : búlùn; wúlùn; shìbúshì   不论, 无论, 是不是

which : něi; nǎ   哪

which kind : nǎyàng; něizhǒng   哪样, 哪种

while : dāng ... dě shíhǒu; dāng ...   当…的时候; 当…

whiskey : wēishìjì   威士忌

white : báidě   白的

who, whom : shuí; shéi   谁

whole : quán; zhěnggèdě; suǒyǒudě   全, 整个的, 所有的

whose : shuídě; shéidě   谁的

why : wèishénmě   为什么

wide : kuān   宽

wife (yours) : àirén   爱人

     other's : fūrén   夫人

will (n.) : yìzhìlì   意志力

     (v.) : jiāngyào   将要

win : yíng   赢

wind : fēng   风

window : chuāngzǐ; chuānghù   窗子, 窗户

wine : pútáojiǔ   葡萄酒

     red : hóng   红

     white : bái   白

winter : dōngtiān   冬天

wish (n.) : xīwàng; yùanwàng	希望,愿望
wish (v.) : xīwàng	希望
with : gēn	跟
woman : nǔde; nǔrén	女的,女人
wood : mùtóu	木头
word : zì	字
work (n.) : gōngzuò	工作
(v.) : zuòshì; zuògōng	做事,做工
world : shìjiè	世界
worry : zháojí	着急
write : xiě	写
wrong : cuòlě; búdùi	错了,不对

X

x-ray : x-gūang	X-光

Y

year : nián	年
yearly : niánnián; měinián	年年,每年
years (age) : suì	岁
yellow : huángdě	黄的
yes : duìlě; shìdě	对了,是的
yesterday : zuǒtiān	昨天
you (familiar) : nǐ	你
you (formal) : nín	您
yogurt : suānniúnǎi	酸牛奶

young : niánqīng 年青
your : nǐdě 你的
yours : nǐméndě 你们的
yourself : nǐzìjǐ 你自己

Z

zero : líng 零
zipper : lāliàn 拉链

A Note on Alphabetizing the Pīnyīn-English Section of the Dictionary

Alphabetizing this section is based on the *first* syllable of each word. Within each syllable the four tones from *first* to *fourth* are then given. For example:

*jiào*yuán	teaching faculty
jiē	street
*jiē*jí	class
*jié*mù	program
*jié*shù	to come to an end
*jiě*jiě	older sister
*jiě*shì	explain
jiè	borrow
*jiè*shào	introduce
*jīn*tiān	today

A

PĪNYĪN : ENGLISH	HÀNZÌ
ǎi : short	矮
ài : love	爱
àirén : lover	爱人
ān : peace	安
ānjìng : quiet, silent	安静
ānquán : safe	安全
àn : dark	暗
āsīpǐlín : aspirin	阿斯匹林
āyí : aunty (young, unrelated)	阿姨

B

bā : eight	八
bāshí : eighty	八十
Bāyuè : August	八月
bàbà : dad, papa	爸爸
bái(dě) : white	白(的)
báilándì : brandy	白兰地
báitiān : daytime	白天
bǎi : hundred	百
bǎiwàn : million	百万
bān : class (of people)	班
bān : move (v.t.)	搬
bàngōngshì : office	办公室
bànyè : midnight	半夜

bāngzhù : help 帮助

bàng : pound (weight) 磅

bāoguǒ : package 包裹

bāozā : to bandage 包扎

bāozhuāng : to pack 包装

bāozi : steamed bun 包子

bǎo : full (stomach) 饱

bǎolíu : keep 保留

bào : embrace 抱

bàozhǐ : newspaper 报纸

bózǐ : neck 脖子

bēizi : cup, glass 杯子

běi : north 北

běn : volume (a book) 本

běndìdě : native 本地的

bèn : stupid 笨

bēngdài : bandage 绷带

bìxū : must, necessary 必须

bízǐ : nose 鼻子

bǐ : writing instrument (brush) 笔

bǐ : than 比

bǐjìao : compare, relatively 比较

bǐjiàohǎodě : better 比较好的

biān(r) : edge, side 边（儿）

biānjiè : boundary 边介

biǎndòu : string bean 扁豆

biànhuà : change (v.i.) 变化

biǎo : a watch 表

biǎoxiàn : perform or do well in, show 表现

biǎoyǎn : perform on stage, show (n.) 表演

bié : do not 别

biéde : other 别的

bīnguǎn : rest house (hotel) 宾馆

bīng : ice 冰

bīngqílín : ice cream 冰淇淋

bīngshuǐ : ice water 冰水

bǐnggān : cookies 饼干

bìngle : ill, sick, sickness 病了

bìngrén : patient (sick person) 病人

bō : dial 拨

bōluó : pineapple 菠萝

bōcài : spinach 菠菜

bówùguǎn : museum 博物馆

búcuò : not bad 不错

búdào : less than 不到

búduì : wrong 不对

búguò : however 不过

bùhǎokàn : ugly 不好看

búlùn : whether 不论

búyào : do not 不要

bǔ : mend 补

bù : no, not 不

bù : cloth 布

bùfǎ : a step, a measure 步法

bùfèn : part, portion 部分

bùjiǔ : soon 不久

bùshūfú : not well 不舒服

bùtóng : different 不同

bùxǐhuān : dislike 不喜欢

bùyíyàng : different 不一样

bùzǐ : any steps 步子

bùzhǔn : prohibit (colloquial) 不准

C

cā : to polish 擦

cài : dish of food 菜

càidān : menu 菜单

càipǔ : menu 菜谱

cānguān : visit 参观

cānjīn : napkin 餐巾

cāngyíng : a fly 苍蝇

cāochǎng : playground 操场

céngjīng : once 曾经

cèsuǒ : toilet 厕所

chāzǐ : fork 叉子

chāzuò : electrical outlet 插座

chá : tea 茶

chábēi : tea cup 茶杯

cháhú : tea pot 茶壶

chābùduō : nearly, almost 差不多

chǎnpǐn : product 产品

cháng : to taste 赏

cháng : long 长

chángcháng : usually, frequently, often 常常

chángkù : pants 长裤

chángzǐ : sausage, bowels 肠子

78

chǎngfáng : factory building	厂房
chànggēr : to sing	唱歌儿
cháo : dynasty	朝
cháoshī : wet	潮湿
cháoxiàng : toward	朝向
chǎo : noisy	吵
chǎo : stir-fry	炒
chē : vehicle	车
chènshān : shirt	衬衫
chéng : multiply	乘
chénggōng : success	成功
chéngjìu : (make) achievement	成就
chéngshì : city	城市
chéngyuán : group member	成员
chī : eat	吃
chǐdù : measurement	尺度
chōng : to rush	冲
chōuyān : to smoke	抽煙
chǒu : ugly	丑
chūkǒu : exit	出口
chūqù : go out	出去
chūzūqìchē : taxi	出租汽车
chúfáng : kitchen	厨房
chúshī : the cook	厨师
chǔxū : save money	贮蓄
chùchù : everywhere	处处
chuān : wear	穿
chuán : boat, ship	船
chuānglián : curtain	窗帘
chuáng : bed	床

chuī : blow with mouth 吹

chūntiān : spring season 春天

cíhuì : vocabulary 词汇

cì : times (how many) 次

cìxù : in order 次序

cōng : onions 葱

cóng : from 从

cóngfù : repeat 从复

cōngmíng : intelligent, smart 聪明

cóngqián : past 从前

cūzàodè : rough 粗糙的

cù : vinegar 醋

cūnzhuāng : village 村庄

cūnzǐ : village 村子

cuòlè : wrong 错了

cuòwù : mistake 错误

D

dáyǐng : to promise 答应

dǎkāi : open (v.t.) 打开

dǎzì : to type 打字

dǎdiànhuà : to make phone call 打电话

dǎxuàn : to plan 打算

dǎzhēn : injection 打针

dà : big, large 大

dàgài : likely, probably 大概

dàjiā : everybody 大家

dàmā : aunty (old, unrelated) 大妈

dàrén : adult 大人

dàshēng : aloud 大声

dàshǐguǎn : ambassy 大使馆

dàxiǎo : size 大小

dàxué : university 大学

dàyě : older uncle 大爷

dàyī : overcoat 大衣

dài : bring 带

dài : carry 带

dài : dynasty 代

dài : lead to 带

dàifū : doctor 大夫

dàilǐrén : agency 代理人

dàizǒu : take away 带走

dāndú : alone 单独

dānrénfáng : single room 单人房

dànshǐ : but 但是

dāng ... : while 当

dāng ... děshíhòu : while 当…的时候

dàngāo : cake 蛋糕

dāngránlě : of course 当然了

dāozǐ : knife 刀子

dào : pour 倒

dào : to (c.v.) 到

dàodá : arrive 到达

dàolǐ : a reason 道理

děngděng : etc. 等等

dī : low 低

díquè : indeed 的确

dírén : enemy 敌人

dǐxià : bottom, under	底下
dì : the ground	地
dìbǎn : floor	地板
dìdi : younger brother	弟弟
dìdiǎn : location	地点
dìfāng : place, location	地方
dìqiú : earth	地球
dìtú : map	地图
dìyī, dìèr, dìsān ... : fist, second, third ... etc.	第一, 第二, 第三…
dìzhǐ : address	地址
diǎn (zhōng) : o'clock	点 (钟)
diǎncài : to order food	点菜
diǎnxīn : dimsum, hors d'oeuvres	点心
diǎnzhōng : o'clock	点钟
diàn : store	店
diàn : electric	电
diànbào : telegraph	电报
diàndēng : electric light	电灯
diànhuà : telephone	电话
diànshì : television	电视
diàntī : elevator	电梯
diànyā : voltage	电压
diànyǐng : movies	电影
diànyuán : salesperson	店员
diàochá : investigate	调查
diēdǎo : fall	跌倒
dǐnghǎo : best	顶好
dìngzuò : custom made, to order	订做
diūdào : throw	丢到
dōng : east	东

dōngtiān : winter 冬天

dōngxî : everything, things, objects 东西

dǒng : understand 懂

dòng : freeze 冻

dòng : move (v.t.) 动

dòngwù : animal 动物

dōu : all, both (adv.) 都

dòufǔ : bean curd 豆腐

dòuyá : bean sprout 豆牙

dòuzǐ : bean 豆子

dù : degree (temperature) 度

dùzǐ : abdomen 肚子

dùzǐténg : abdominal pain 肚子疼

duǎn : short 短

duǎnǎo : cotton, padded jacket 短袄

duǎnwàiyī : jacket 短外衣

duì : to (c.v.) 对

duìbùqǐ : sorry, excuse me 对不起

duìlě : that is right 对了

duō : many, more, much 多

duō : plus (in addition to) 多

duōshǎo : how many, how much 多少

duōyòngchāxiāo : adaptor (plug) 多用插锁

duōyuǎn : how far 多远

E

é : goose 鹅

édékè : vodka 俄得克

Éwén : Russian language	俄文
è : hungry	饿
è : jaw	颚
érzǐ : son	儿子
ěrduō : ear	耳朵
èr : two	二
èrshí : twenty	二十
Èryuè : February	二月

F

fāpiào : receipt	发票
fāshēng : happen, occur	发生
fāshāo : fever	发烧
fāxiàn : discover	发现
fāyīn : pronunciation	发音
Fǎguó : France	法国
Fǎwén : French	法文
fǎzǐ : method, wayout	法子
fān : translate	翻
fānchéng : translate into	翻成
fānyī : interpreter	翻译
fàn : rice	饭
fàn : food, meal	饭
fànguǎn : restaurant	饭馆
fàntīng : dining room	饭厅
fāng : square	方
fāngfǎ : method	方法
fánghào : room number	房号

fángjiān : room	房间
fángzǐ : house	房子
fǎngwèn : visit	访问
fǎngzhīpǐn : textiles	纺织品
fàng : put	放
fàngjià : vacation	放假
fàngqì : quit	放弃
fàngxià : lay (put) down	放下
fēi : to fly	飞
fēicháng : very	非常
fēijī : airplane	飞机
fēijīchǎng : airport	飞机场
féi : fat	肥
féizào : soap	肥皂
fèi : lung	肺
fēn : cent	分
fēn : minute	分
fēnchéng : divide	分成
fēnjī : telephone extension	分机
fēnxì : analyze	分析
fěnhóng(dè) : pink	粉红(的)
fēngjǐng : scenery	风景
fēnglì : sharp	锋利
fēngshōu : harvest (good)	丰收
fēngsú : custom	风俗
fèng : phoenix	凤
fūrén : wife (other's)	夫人
fúdǎo : coach (help)	辅导
fútè : volts	伏特
fúwù : service	服务

fúwùyuán : attendant (waiter)   服务员
fù : rich   富
fùchīn : father   父亲
fùmǔ : parents   父母
fùxí : review   复习

G

gǎibiàn : change (v.t.)   改变
gānbēi : Cheers! Bottoms up.   干杯
gānjìng : clean   干凈
gānxǐ : dry-clean   干洗
gānzào : dry   干燥
gǎndào : feel   感到
gǎnjué : feeling   感觉
gǎnkuài : hurry   赶快
gǎnmào : catch cold, flu   感冒
gàn : do, perform (work)   干
gànbù : cadre   干部
gāng : steel   钢
gāngbǐ : pen   钢笔
gāo : high, tall   高
gāoxìng : happy, glad   高兴
gàosu : tell   告诉
gēbo : arm   胳膊
gēge : brother (older)   哥哥
gējù : opera   歌剧
gēr : song   歌儿
gémìng : revolution   革命

gěi : give 给

gěi : to (c.v.) 给

gěiqián : pay money 给钱

gēn : and (with) 跟

gēng : thick soup 羹

gēnsuí : follow 跟随

gōngchǎng : factory 工厂

gōngchǐ : meter in length 公尺

gōnggòngqìchē : bus (public) 公共汽车

gōngjù : tool 工具

gōnglǐ : kilometer 公里

gōnglù : highway 公路

gōngqǐng : hectare 公顷

gōngrén : factory worker 工人

gōngshè : commune 公社

gōngyè : industry 工业

gōngyuán : park 公园

gōngzhèng : justice, fairness 公正

gōngzuò : work, job 工作

gǒu : dog 狗

gòu : enough 够

gūdú : lonely 孤独

gūmā : aunt (related) 姑妈

gǔjī : ancient sites 古迹

gǔtóu : bone 骨头

gù : employ 雇

gùkè : customer 顾客

gùshǐ : story 故事

guā(fēng) : blow (wind) 刮(风)

guāhúdāo : razor 刮胡刀

guāhúzǐ : to shave   刮胡子

guǎiwān : turn   拐弯

guān : close, shut   关

guān : off   关

guāndiào : turn off   关掉

guānxì : relation   关系

guānyú : about   关于

guānzhòng : audience, spectator   观众

guǎn : a hall   馆

guǎnlǐ : manage   管理

guǎnxiá : govern   管辖

guì : expensive   贵

guìtaí : sales counter   柜枱

guó : nation   国

guǒzhī : fruit juice   果汁

guò : pass   过

guòmǐn : allergy   过敏

guòqù : past   过去

H

hái : still   还

háishì : or   还是

háizǐ : child   孩子

háizǐmén : children   孩子们

hǎi : sea   海

hǎiguān : boarder customs   海关

hǎixiān : seafood   海鲜

hángkōngxìn : airmail   航空信

hǎn : call 喊

hàn : sweat (n.) 汗

hànzì : Chinese characters 汉字

hǎojǐgě : several 好几个

hǎo : good, fine, nice, well 好

hǎobå : okay 好吧

hǎochī : delicious 好吃

hǎojílě : excellent 好极了

hǎokàn : good looking 好看

hǎowánr : fun 好玩儿

hǎoxiàng : seems 好像

hǎoxiào : funny 好笑

hào : number (which) 号

hē : drink 喝

hé : and 和

hé : river 河

hégǔ : river valley 河谷

hépíng : peace 和平

héqì : kindness 和气

héshì : suitable 合适

hēi (dě) : black 黑(的)

hēibǎn : blackboard 黑板

hěn : very 很

hěnduō : a lot, many, much 很多

hěnjiǔ : long time 很久

hěnxiàng : similar 很像

hèn : hate 恨

hóng(dě) : red 红(的)

hóngluóbǒ : carrots 红萝卜

hóngqí : red flag 红旗

hóulóng : throat	喉咙
hóulóngténg : sore throat	喉咙疼
hòu : thick	厚
hòubiān(r) : back, behind	后边(儿)
hòulái : afterwards	后来
hòutóu : back, behind	后头
hú : lake	湖
hújiāo : pepper	胡椒
hútòng : lane	胡同
hùzhào : passport	护照
huā(duǒ) : flower	花(朵)
huāfèi : spend time, etc.	花费
huāpíng : vase	花瓶
huāqián : spend money	花钱
huāshēng : peanut	花生
huāyuán : garden	花园
huáshì : degrees fahrenheit	华氏
huà : draw	画
huàbào : pictorial	画报
huàjù : a play	话剧
huái : ankle	踝
huài : bad	坏
huàile : out of order, ruined	坏了
huānyíng : welcome	欢迎
huānlè : joy	欢乐
huángěi : give back	还给
huàn : exchange money	换
huáng(de) : yellow	黄(的)
huángdì : emperor	皇帝
huánggūa : cucumber	黄瓜

huángyóu : butter 黄油

huīdé : gray 灰的

huídá : answer 回答

huílái : return, go and come back 回来

huíqù : return, go back 回去

huì : can, know how to, be able to 会

huì : meeting 会

huó : alive 活

huǒ : fire 火

huǒchē : train 火车

huǒchēzhàn : railway station 火车站

huótuǐ : ham 火腿

huòdé : to obtain 获得

huòshì ... huòshì : either ... or 或是…或是

J

jī : chicken 鸡

jīdàn : egg 鸡蛋

jīhuì : opportunity, chance 机会

jīqì : machine 机器

jīròu : muscle 肌肉

jīròu : chicken meat 鸡肉

jízhěn : emergency 急诊

jízhěnshí : emergency room 急诊室

jǐ : how many? 几

jì : to mail 寄

jìbù ... yòubù : neither ... nor 既不…又不

jìdé : remember 记得

jìhuà : a plan	计划
jìjié : season	季节
jìrán : since (adv.)	既然
jìxìn : send a letter	寄信
jiā : to add	加
jiā : family	家
jiāchù : animal (domestic)	家畜
jiājù : furniture	家俱
Jiānádà : Canada	加拿大
jiāyóuzhàn : gas station	加油站
jiàrì : holiday	假日
jiàqián : price	价钱
jiān : shoulder	肩
jiān : fry (pan)	煎
jiānyù : jail, prison	监狱
jiǎnchá : to check	检查
jiǎnqǐlái : pickup	拾起来
jiànkāng : health, healthy	健康
jiànshè shèhuìzhǔyì : build socialism	建设社会主义
jiànzào : to build	建造
jiànzhù : buildings	建筑
jiāng : ginger	姜
jiāng : river	江
jiāngyào : going to something	将要
jiāngyào : will	将要
jiàngyóu : soy sauce	酱油
jiāoqū : suburb	郊区
jiǎo : foot	脚
jiǎozhǐtóu : toe	脚指头
jiǎozi : dumpling	饺子

jiāo : to teach	教
jiào : to be called, named, first name	叫
jiào : to order	叫
jiàoshì : classroom	教室
jiàoxùn : lesson	教训
jiàoyù : education	教育
jiàoyuán : teaching faculty	教员
jiē : street	街
jiējídòuzhēng : class struggle	阶级斗争
jiéguǒ : result	结果
jiéhūn : marry	结婚
jiémù : program	节目
jiéshù : to come to an end	结束
jiějie : older sister	姐姐
jiěéjúe : solve	解决
jiěshì : explain	解释
jiè : borrow	借
jièshào : introduce	介绍
jīn : catty ($\frac{1}{2}$ kilogram)	斤
jīnshǔ : metal	金属
jīntiān : today	今天
jīnzǐ : gold	金子
jǐn : tight	紧
jǐn(jǐn) : only (adv.)	仅(仅)
jǐnjíshìjiàn : emergency	紧急事件
jìn : near, in	近
jìnbù : progress	进步
jìnlái : come in	进来
jìnrù : into, enter	进入
jìnzhǐ : prohibit	禁止

jīnguò : pass	经过
jǐng : well (water, oil)	井
jǐngchá : police	警察
jǐngchájú : police station	警察局
jǐngsè : scenery	景色
jìngzǐ : mirror	镜子
jiǒng : embarrass	窘
jiǔ : nine	九
jiǔshí : ninety	九十
Jiǔyuè : September	九月
jiù : save (v.t.)	救
jiù : old, used	旧
jiù : then	就
jiùyào : immediately	就要
júhóng : orange color	桔红
jú zhī : orange juice	桔汁
júzǐ : orange	桔子
júzǐshuǐ : orange soda	桔子水
jùchǎng : theater	剧场
jùlí : distance	距离
jùyuàn : theater	剧院
jūzǐ : sentence	句子
juédě : feel	觉得
juédìng : decide	决定

K

kāfēi : coffee	咖啡
kāfēisè : brown color	咖啡色

kāichē : drive 开车

kāihuì : meeting 开会

kāishǐ : begin, start 开始

kāishuǐ : boiled water 开水

kàn : look, read, see, watch 看

kànkǎn : take a look 看看

kànshū : read 看书

kàngshēngsù : antibiotic 抗生素

kǎo : roasted 烤

kǎomiànbāo : toast 烤面包

kǎoshì : test, examination 考试

kēxué : science 科学

késòu : cough 咳嗽

kě : thirsty 喝

kěnéng : maybe, possible 可能

kěpàdě : awful 可怕的

kěshì : but, however 可是

kěxiào : funny 可笑

kěyǐ : can, may 可以

kè : class (lesson) 课

kè : quarter hour 刻

kèchéng : course 课程

kèfú : overcome 克服

kèqì : polite 客气

kèrén : quest, visitor 客人

kètīng : living room 客厅

kèwén : text 课文

kōng : empty 空

kōngqì : air 空气

kǒu : mouth 口

kǒudàr : pocket   口袋(儿)
kǒugān : thirsty   口干
kǒuxiāngtáng : chewing gum   口香糖
kǔ : bitter (taste)   苦
kùzǐ : pants   裤子
kuài : fast, quick   快
kuài : piece (particle)   块
kuàilè : happiness, pleasure   快乐
kuàizǐ : chopsticks   筷子
kuān : wide   宽
kuàngquánshuǐ : mineral water   矿泉水
kǔnqǐlaí : tie-up   捆起来

L

lā : pull   拉
lādùzǐ : diarrhea   拉肚子
lāliàn : zipper   拉链
là : hot taste   辣
làjiāo : chili pepper   辣椒
lái : come   来
láidào : arrive   来到
lán(dè) : blue   蓝(的)
lánqiú : basketball   篮球
lǎn : lazy   懒
láodòng : work (labor)   劳动
láogōng : laborer   劳工
lǎo : old   老
lǎoshī : primary school teacher   老师

léi : thunder	雷
lèi : tired	累
lěng : cold	冷
lěngkāishuǐ : cool, boiled water	冷开水
lí : pear	梨
líkāi : away, leave	离开
lǐ : in	里
lǐbiān(r) : inside	里边(儿)
lǐfà : haircut	理发
lǐfàdiàn : barbershop	理发店
lǐfàshī : barber	理发师
lǐtáng : auditorium	礼堂
lǐtóu : inside	里头
lǐwù : a present	礼物
lǐyóu : reason	理由
lìkè : immediately	立刻
lìliàng : strength	力量
lìqì : strength	力气
lìshǐ : history	历史
lìzhī : leechee	荔枝
lìzǐ : example	例子
liánxù : successively	连续
liǎn : face	脸
liànxí : practice, exercise	练习
liáng : cool	凉
liáng : measure	量
liáng : nice	良
liǎng : two	两
liàozǐ : cloth	料子
línjū : neighbor	邻居

líng : bell   铃

líng : zero   零

lǐng : lead followers   领

lǐngdǎo : leader   领导

lǐngduì : group leader   领队

lǐngxiù : leader of country   领袖

liúlì : fluent   流利

liù : six   六

liùshí : sixty   六十

Liùyuè : June   六月

lóng : dragon   龙

lóu : building (more than 1 story)   楼

lóushàng : upstairs   楼上

lóutī : stairs   楼梯

lóuxià : downstairs   楼下

lǚguǎn : hotel   旅馆

lǚxíng : travel, journey   旅行

lǚxíngshè : travel service   旅行社

lǚxíngzhīpìao : traveller's checks   旅行支票

lù : deer   鹿

lù : road, way   路

lǜdě : green   绿的

lúnzǐ : wheel   轮子

luóbǒ : turnip, radish   萝卜

M

māmǎ : mother   妈妈

mǎ : horse   马

mǎi : buy	买
mǎimài : business	买卖
mǎidōngxǐ : to shop, shopping	买东西
mài : sell	卖
mài : step (v.)	迈
màibó : pulse	脉搏
màizǐ : wheat	麦子
mántóu : steamed bread	馒头
mǎnlě : full	满了
mǎnyì : satisfactory	满意
màn : slow	慢
mànmārdě : slowly	慢慢儿的
mànyìdiǎn(r) : slowly	慢一点
máng : busy	忙
māo : cat	貓
máo : body hair	毛
máo : ten cents	毛
máojīn : towel	毛巾
máotǎn : blanket	毛毯
màozǐ : hat	帽子
méi (yǒu) : have not	没(有)
méiqián : poor	没钱
méirén : nobody, no one	没人
méiyǒu : have not, has not	没有
méiyǒu yìyìdě : meaningless	没有意义的
méiyǒuyòng : useless	没有用
měi : each	每
Měiguó : America	美国
Měiguórén : American	美国人
měili(dě) : beautiful	美丽(的)

měiyígè : each, every	每一个
měiyígèdìfāng : everywhere	每一个地方
mèimei : younger sister	妹妹
měinián : yearly	每年
mēn : humid	闷
mén : door, gate	门
ménkǒu : doorway	门口
miánhuā : cotton	棉花
miányáng : lamb	绵羊
miànbāo : bread	面包
miànbāochē : minibus	面包车
miànfěn : flour	面粉
miànjī : area	面积
mǐ : meter	米
mǐ : rice	米
mǐfàn, fàn : cooked rice	米饭
mǐfěnròu : flour-meat-rice	米粉肉
mìmì : secret	秘密
míngliàng (dě) : bright (adj.)	明亮
míngtiān : tomorrow	明天
míngxìnpiàn : postcard	明信片
míngzǐ : name	名子
mógǔ : mushroom	蘑菇
mǒuyígè : some	有一个
mǔqīn : mother	母亲
mù : curtain	幕
mùdì : purpose	目的
mùtóu : wood	木头

N

ná : get, takehold, take   拿

názǒu : take away   拿走

nǎ : which   哪

nǎlǐ : where   哪里

nǎyàng : which kind   哪样

nà : that   那

nàlǐ : there   那里

nǎinái : grandmother   奶奶

nàixìng : patience   耐性

nán : difficult, hard   难

nán : male   男

nán : south   南

nándè : male   男的

nánkàn : ugly   难看

nǎozǐ : brain, mind   脑子

nǎr : where   哪儿

nàr : there   哪儿

něi : which   哪

něizhǒng : which kind   哪种

nèi : that   那

nèixiē : those   那些

néng : able, can   能

néngliàng : energy   能量

nǐ : you   你

nǐdè : your   你的

nǐhǎo : good day, hello (you fine?)   你好

nǐmèn : you (pl.)   你们

nǐmèndè : yours   你们的

nǐzìjǐ : yourself　　　　　你自己

nián : year　　　　　年

niánnián : yearly　　　　　年年

niánqǐng : young　　　　　年青

niàn : read aloud　　　　　念

niǎo : bird　　　　　鸟

nín : you (formal)　　　　　您

nìngkě : rather　　　　　宁可

niú : cow　　　　　牛

niúnǎi : milk　　　　　牛奶

niúròu : beef　　　　　牛肉

nóngchǎng : farm　　　　　农场

nóngcūn : countryside (villiage)　　　　　农村

nóngmín : peasants　　　　　农民

nóngrén : farmer, peasant　　　　　农人

nóngyè : agriculture　　　　　农业

nòngzhí : straighten　　　　　弄直

nǚ (dě) : female　　　　　女(的)

nǚér : daughter　　　　　女儿

nǚháir : girl　　　　　女孩儿

nǚháizǐ : girl　　　　　女孩子

nǚlì : effort　　　　　努力

nǚrén : woman　　　　　女人

nǚshì : lady, Miss　　　　　女士

nuánshuǐpíng : thermost bottle　　　　　暖水瓶

nuǎnhuǒ : warm　　　　　暖和

nuòyán : a promise　　　　　诺言

O

ǒu : lotus root 藕

P

pá : climb 爬
pà : afraid, fear 怕
pánzi : plate 盘子
pànwàng : hope 盼望
pángbiǎn(r) : beside 旁边(儿)
pàng : fat 胖
pǎo : run 跑
pēnqìjī : jet (plane) 喷气机
pénjǐng : bonzai 盆景
péngyǒu : friend 朋友
píjiár : wallet 皮夹(儿)
píjiǔ : beer 啤酒
píxié : shoes 皮鞋
piányi : cheap, inexpensive 便宜
piào : ticket 票
piàoliǎng : beautiful, pretty 漂亮
pīnpánr : cold cut platter 拼盘(儿)
pínnóng : poor peasant 贫农
pīngpāngqiú : ping pong 乒乓球
píngděng : equal 平等
píngguǒ : apple 苹果
píngxìn : regular mail 平信
pòle : broken 破了

103

pútǎo : grape 葡萄

pútǎojiǔ : wine (hóng—red, baí— white) 葡萄酒

pǔtōng : common, ordinary 普通

pǔtōnghuà : common language 普通话

pùzi : a shop 铺子

Q

qī : seven 七

qīshí : seventy 七十

Qīyuè : July 七月

qīzi : wife (others) 妻子

qí : flag 旗

qí : ride astride 骑

qǐlái : arise, rise, get up 起来

qìchē : car 汽车

qìshuǐ : soda pop 汽水

qiān : thousand 千

qiānbǐ : pencil 铅笔

qián : money 钱

qiánbāo : purse 钱包

qiánbiàn(r) : front 前边（儿）

qiántóu : front 前头

qiǎn : shallow 浅

qiāng : gun 枪

qiáng : wall 墙

qiāo : to pound 敲

qiǎokèlì : chocolate 巧克利

qiē : cut 切

qiézǐ : eggplant 茄子

qīng : light (weight) 轻

qīngcài : vegetables 青菜

qǐng : please 请

qǐngjìn : please come in 请进

qǐngyuánliàng : excuse me 请原谅

qǐngzàishuō : please repeat 请再说

qiūtiān : autumn, fall 秋天

qióng : poor 穷

qǔ : go get 取

qù : go 去

quán : whole 全

quánjǐng : panorama 全景

quēshǎo : lack 缺少

quèshí : really 确实

qúnzhòng : mass 群众

qúnzǐ : skirt 裙子

R

ránhòu : then 然后

ránshāo : burn 燃烧

ràng : let 让

rè : hot, sun 热

rèlì : heat 热力

rèliàng : heat 热量

rén : person 人

rénmén : people 人们

rénmín : the people　　　　人民
rēng : throw　　　　　　　　扔
Rìběn : Japan　　　　　　　日本
Rìběnrén : Japanese　　　　日本人
rìbì : Japanese money　　　　日币
rìchū : sunrise　　　　　　　日出
rìluò : sunset　　　　　　　日落
Rìwén : Japanese language　日文
rìzǐ : day of month　　　　　日子
róngqì : container　　　　　容器
róngyì : easy, simple　　　　容易
ròu : meat　　　　　　　　　肉
rúcǐ : so　　　　　　　　　如此
rúguǒ : if　　　　　　　　　如果
rúhé : how　　　　　　　　　如何
rùkǒu : entrance　　　　　　入口

S

sēnlín : forest　　　　　　森林
shā : kill　　　　　　　　杀
shān : mountain　　　　　山
shāngǔ : valley　　　　　山谷
shānshuǐ : landscape　　　山水
shānyáng : goat　　　　　山羊
shànzǐ : fan　　　　　　　扇子
shāngfēng : catch cold　　伤风
shàng : up　　　　　　　上
shàngbān : go to work　　上班

shōuyīnjī : radio 收音机

shǒu : hand 手

shǒubì : arm 手臂

shǒudū : capital 首都

shǒuzhǐtóu : finger 手指头

shòu : lean (n.) 瘦

shòuhuòyuán : sales person 售货员

shū : book 书

shū : to lose 输

shūcài : vegetable 蔬菜

shūdiàn : bookstore 书店

shūfáng : study room 书房

shūfú : comfortable 舒服

shūshu : uncle (younger) 叔叔

shūzhuō : desk 书桌

shúliàndě : skilled 熟练的

shùliàng : quantity 数量

shǔyú : of, belong 属于

shùlín : forest 树林

shùmù : number (how many) 数目

shùmù : trees 树木

shùyè : leaf 树叶

shuāzǐ : brush 刷子

shuāngrénfáng : double room 双人房

shuāngqīn : parents 双亲

shuí : who, whom 谁

shuídě : whose 谁的

shuǐ : water 水

shuǐguǒ : fruit 水果

shuǐguǒzhī : juice 水果汁

shuǐjiǎo : boiled dumping	水饺
shuìjiào : sleep	睡觉
shuō : say, said	说
shuōhuà : speak	说话
sīliàozǐ : silk	丝料子
sǐ : die	死
sì : four	四
sìshí : forty	四十
Sìyuè : April	四月
sòng : send	送
Sūlián : Soviet Union	苏联
sùshè : dormitory	宿舍
suān : acid (taste)	酸
suānniúnǎi : yoghurt	酸牛奶
suàn : garlic	蒜
suíbiànnǐ : do as you wish	随便你
suì : years of age	岁
sūnzǐ : grandson	孙子
sūnnǚar : granddaughter	孙女（儿）
sǔn : bamboo shoots	笋
sùnggěi : to present	送给
suǒ : lock up	锁
suǒyǐ : therefore	所以
suǒyǒudě : whole, every, all (adj.)	所有的
suǒyǒuděrén : everybody	所有的人
suǒyǒuděshìqíng : everything (affairs)	所有的事情
suǒyǒudōngxī : everything (objects)	所有的东西

T

tā : he, she, it 他,她,它
tādě : his, hers 他(她)的
tāmēn : they, them 他们
tāméndě : their 他们的
tài : excessive 太
tàiyáng : sun 太阳
tánhuà : talk 谈话
tántán : talk together 谈谈
tāng : soup (thin) 汤
táng : candy, sweet, sugar 糖
tángcùyú : sweet-sour fish 糖醋鱼
tǎngxià : lie down, lying down 躺下
táo : peach 桃
tǎolùn : discuss 讨论
tèbié : special 特别
tèdiǎn : characteristics 特点
téng : pain 疼
tī : kick 踢
tǐjí : volume (amount) 体积
tǐyùguǎn : stadium 体育馆
tiān : day, sky 天
tiāntiān : daily 天天
tiānqì : weather 天气
tián : field 田
tián : sweet 甜
tiánsuān : sweet-sour 甜酸
tiāo : select 挑
tiāoxuǎn : pick, choose 挑选

tiào

tiào : jump 跳
tiàowǔ : dance 跳舞
tiě : iron 铁
tiělù : railway 铁路
tīng : hear, listen 听
tíng : stop 停
tíngchē : to park 停车
tíngzhǐ : quit, stop 停止
tóngxué : schoolmate 同学
tóngzhì : comrade 同志
tóu : head 头
tóuténg : headache 头疼
tòushì : x-ray 透视
tǔdòu : potatoe 土豆
túhuà : picture 图画
tǔ : earth (soil) 土
tǔdì : land 土地
tǔrǎng : soil 土壤
túshūguǎn : library 图书馆
tuántǐ : group (n.) 团体
tuánzhǎng : leader of group 团长
tuī : push 推
tuǐ : leg 腿

W

wājué : dig 挖掘
wàzǐ : socks 袜子
wàibiǎn(r) : outside 外边(儿)

wàiguó : foreign country   外国

wàiguóde : foreigner   外国的

wàiguórén : foreigner   外国人

wàitào : coat   外套

wàitóu : outside   外头

wàixiàn : outside line (telephone)   外线

wánlě : finished   完了

wánr : to play   玩(儿)

wánquán : completely   完全

wánquánde : exactly   完全的

wǎn : late   晚

wǎn : bowl   碗

wǎnfàn : supper   晚饭

wǎnshàng : evening   晚上

wàn : ten thousand   万

wànsuì : longlife   万岁

wàng : towards   往

wàngjì : forget   忘记

wànglě : forget   忘了

wàngqián : forward   往前

wēixiào : smile   微笑

wēishìjì : whisky   威士忌

wēixiǎn : dangerous   危险

wéi : surround   围

wéiyīde : only (adj.)   唯一的

wěidà : great   伟大

wèi : hello (on telephone)   喂

wèi : a smell or taste   味

wèi : stomach   胃

wèidào : flavor   味道

wèi(lě) : for, in order to   为了

wèishénmě : why   为什么

wèishēngzhǐ : toilet paper   卫生纸

wèiténg : stomach ache   胃疼

wèizhǐ : position   位置

wēndù : temperature   温度

wēndùbiǎo : thermometer   温度表

wén : to smell   闻

wénxué : literature   文学

wèn : ask   问

wèntí : problem   问题

wèntí : question   问题

wǒ : I, me   我

wǒdě : my, mine   我的

wǒměn : we   我们

wǒměndě : ours   我们的

wǒzìjǐ : myself   我自己

wòshì : bedroom   卧室

wòshǒu : shake hands   握手

wūguī : tortoise   乌龟

wúlùn : whether   无论

wúrén : toilet unoccupied   无人

wǔ : five   五

wǔdǎo : dance performance   舞蹈

wǔfàn : lunch   午饭

wǔshù : martial arts   武术

wǔyè : midnight   午夜

Wǔyuè : May   五月

wù : fog   雾

wùzhǐ : material   物质

X

X-guāng : X-ray   X-光

xīcài : Western food   西菜

xīcān : Western food   西餐

xīfàn : rice gruel, porridge   稀饭

xī, xīgài : knee   膝,膝盖

xīguā : watermelon   西瓜

xīhóngshì : tomato   西红柿

xīshìzǎofàn : Western breakfast   西式早饭

xīwàng (n.) : hope   希望

xīyān : to smoke   吸煙

xīzhuāng : suit of clothes   西装

xíguàn : habit   习惯

xǐ : wash   洗

xǐrǎndiàn : laundry   洗染店

xǐzǎojiān : bathroom   洗澡间

xǐhuān : like   喜欢

xiázhǎi : narrow   狭窄

xià : down   下

xià : get off   下

xiàbiǎn(r) : at the bottom   下边(儿)

xià'è : jaw   下颚

xiàgèxīngqī : next week   下个星期

xiàkè : finish class   下课

xiàmiǎn : below   下面

xiàtiān : summer   夏天

xiàtóu : at the bottom   下头

xiàwǔ : afternoon   下午

xiàxuě : snowing   下雪

xiàyígè : next	下一个
xiàyǔ : raining	下雨
xiānjìndě : advanced	先进的
xiānshěng : Mr., Sir, teacher, gentleman	先生
xiàn : appear	现
xiàn : county	县
xiànzài : now	现在
xiāng : fragrant	香
xiāngdāng : equivalent to	相当
xiāngdāng : rather	相当
xiāngduìdě : relatively	相对的
xiāngjiāo : banana	香蕉
xiāngxià : countryside	乡下
xiāngxìn : believe	相信
xiāngyān : cigarette	香煙
xiāngzǐ : trunk	箱子
xiǎng : to think, to want to	想
xiǎngdǎo : guide	响导
xiǎngshòu : enjoy	享受
xiàng : alike, resemble	像
xiāoxǐ : news	消息
xiǎo : little	小
xiǎojǐe : Miss (lady)	小姐
xiǎolù : path	小路
xiǎoshí : hour	小时
xiǎoshuō : novel	小说
xiǎoxīn : careful	小心
xiǎoxiàng : lane	小巷
xiǎoxué : primary school	小学

xiǎoyáng : lamb	小羊
xiào : laugh	笑
xiàoguǒ : effect	效果
xiàohuàr : joke	笑话(儿)
xiàolǜ : efficiency	效律
xiézǐ : shoe	鞋(子)
xiě : blood	血
xiě : write	写
xièxiè : thanks	谢谢
xièdùzǐ : diarrhea	泻肚子
xīn : new	新
xīn : heart	心
xīnwén : news	新闻
xìn : letter	信
xìnfēng : envelope	信封
xìnxí : message	信息
xīngqī : week	星期
Xīngqǐyī, Xīngqǐèr, Xīngqǐsān etc. :	
Monday, Tuesday Wednesday,	星期一, 星期二
etc.	星期三…
xíngdòng : action	行动
xínglǐ : baggage, suitcase	行李
xínglǐtuōyùndān : baggage check	行李托运单
xíngróng : describe	形容
xǐnglái : wake up	醒来
xìng : surname	姓
xìngfú : happiness	幸福
xìnggé : nature character	性格
xìngmíng : name	姓名
xiōngkǒu (téng) : chest (pain)	胸口(疼)

xióngdě : male animal	雄的
xiūlǐ : repair	修理
xiūxi : rest	休息
xiūxishì : lounge	休息室
xiūxi xiūxi : rest a bit	休息休息
xūyào : need, require	须要
xúkě : permission	许可
xué : learn, study	学
xuéshēng : student	学生
xuéxí : study	学习
xuéxiào : school	学校
xuě : blood	血
xuě : snow	雪
xúnwèn : inquire	询问

Y

yāzǐ : duck	鸭子
yáchǐ : teeth	牙齿
yátòng : toothache	牙痛
Yàzhōu : Asia	亚洲
yán : salt	盐
yándòng : caves	岩洞
yánsè : color	颜色
yánzhòng : serious, severe	严重
yǎnjǐng : eye	眼睛
yàn : boring	厌
yànhuì : banquet	宴会
yáng : ocean, sea	洋

yáng : sheep 羊

yángròu : mutton 羊肉

yǎng : itch 痒

yàng : kind 样

yàngzǐ : pattern, style 样子

yǎo : bite 咬

yào : want 要

yào : medicine 药

yào (shì) : if 要(是)

yàofáng : pharmacy 药房

yàoshì : key 钥匙

yàowán : pill 药丸

yéyé : grandpa 爷爷

yě : also, too 也

yěxǔ : maybe, perhaps 也许

yèlǐ : nighttime 夜里

yèzǐ : leaf 叶子

yīfú : clothing 衣服

yīshēng : medical doctor 医生

yīyuàn : hospital 医院

yíyuè : January 一月

yíbàn : half 一半

yícì : once 一次

yídìng : certain definitely, sure 一定

yígè : an, one 一个

yígòng : altogether 一共

yíkuàr : together 一块儿

yímā : aunt 姨妈

yíqiè : all (pro) 一切

yíyàng : the same, similar 一样

yǐhòu : after, later	以后
yǐjīng : already	已经
yǐqián : ago, before	以前
yǐzǐ : chair	椅子
yìbì : Italian money	意币
yìbǎi : one hundred	一百
Yìdàlì : Italy	意大利
Yìdàlìwén : Italian language	意大利文
yìdiǎn : a little	一点
yìhuǎr : awhile, shortly	一会儿
yìjiàn : opinion	意见
yìlián : successively	一连
yìqǐ : together	一起
yìqún : group (measure word)	一群
yìsǐ : meaning, idea	意思
yìshù : art	艺术
yìshùjiā : artist	艺术家
yìwàishìgù : accident	意外事故
yìxiē : some	一些
yìyì : meaning	意义
yìzhí : straight (adv.)	一直
yìzhìlì : a will	意志力
yīn : cloudy	阴
yīnwèi : because	因为
yīnyuè : music	音乐
yínháng : bank	银行
yīngdāng : ought to, should	应当
yīnglǐ : mile	英里
Yīngguó : England	英国
Yīngwén : English language	英文

yíng : win	赢
yíngjiē : to welcome	迎接
yǐngpiàn : film (movie)	影片
yǒngbù : never	永不
yòng : use	用
yòngjù : utenseil	用具
yóu : cooking oil	油
yóujiàn : the mail	邮件
yóujú : post office	邮局
yóulǎn : sightseeing	游览
yóupiào : postage stamp	邮票
yóuxì : game	遊戏
yóuyǒng : to swim	游泳
yóuzī : postage cost	邮资
yǒu : has, have, there is	有
yǒuguānxìdě : relevance	有关系的
yǒurén : toilet occupied	有人
yǒushí : sometimes	有时
yǒuyì : friendship	友谊
yǒuyìtiān : someday	有一天
yǒuyìsi : interesting	有意思
yǒuyìyì : meaningful	有意义
yǒuyòng : useful	有用
yòubiān(r) : right side	右边（儿）
yòushǒu : right hand side	右手
yú : fish	鱼
yúkuài : pleasure, joy	愉快
yǔ : rain	雨
yǔfǎ : grammar	语法
yǔsǎn : umbrella	雨伞

yǔyán : language 语言

yùbèi : prepare 预备

yùdìng : to reserve 预订

yùdìng : reservation 预订

yùmǐ : corn 玉米

yùshì : bathroom 浴室

yuán : dollar 元

yuánde : round 圆的

yuánlái : original 原来

yuánzǐbǐ : ball point pen 原子笔

yuǎn : far 远

yuànwàng : to wish 愿望

yuè : month 月

yuèliàng : moon 月亮

yún : cloud 云

yùndòng : sports, physical exercise 运动

Z

zájì : acrobats 杂技

zázhì : magazine 杂志

zài : again 再

zài : at 在

zài : in, on 在

zàijiàn : see you again (goodbye) 再见

zàixià : under 在下

zài ... zhījiān : between 在…之间

zài ... zhīshàng : above, over, upon 在…之上

zāng : dirty 脏

zǎo : early	早
zǎo : good morning	早
zǎofàn : breakfast	早饭
zǎoshàng : early morning	早上
zhēndě : real	眞的
zěnměyàng : how?	怎么样
zēngjiā : add	增加
zhá : fry (deep)	炸
zhǎnlǎn : exhibition	展览
zhàn : station	站
zhànlì : stand	站立
zhànxiàn : telephone line occupied	站线
zhāng : sheet	张
zhāngkāi : open (v.i.)	张开
zhàngdàn : check	账单
zhàngfū : husband	丈夫
zháojí : to be worried, anxious	着急
zhǎo : change	找
zhǎo : look for	找
zhǎodào : find	找到
zhàoxiàng : photo	照相
zhàoxiàngjī : camera	照相机
zhéhé : equivalent to	折合
zhè : this	这
zhèxiē : these	这些
zhèyàng : so	这样
zhēndě : true	眞的
zhēnjiù : accupuncture	针灸
zhēnlǐ : truth	眞理
zhěntoú : pillow	枕头

123

zhēng : to steam	蒸	
zhēngqì : steam	蒸汽	
zhēngzhá : struggle	争扎	
zhěnggè(dě) : whole, entire	整个(的)	
zhèngzhuàng : symptom	症状	
zhèngzhì : politics	政治	
zhèr : here	这儿	
zhī : juice	汁	
zhīchí : support	支持	
zhīdào : know	知道	
zhīpiào : check (bank)	支票	
zhī : of	之	
zhí : cost	值	
zhídào : until	直到	
zhídě : straight	直的	
zhǐ : only	只	
zhǐ : paper	纸	
zhìliàng : quality	质量	
zhìzào : manufacture	制造	
zhōng : clock	钟	
zhōng : middle	中	
zhōngcài : Chinese food	中菜	
zhōngcān : Chinese food	中餐	
zhōngfàn : lunch	中饭	
Zhōngguó : China	中国	
zhōngjiān(r) : middle	中间(儿)	
zhōngsè : brown color	棕色	
zhōngtóu : hour	钟头	
Zhōngwén : Chinese language	中文	
zhōngwǔ : noon	中午	

zhōngxué : middle (high) school	中学
zhōngyú : finally	终于
zhǒng : kind, type	种
zhǒnglèi (n.) : kind, species	种类
zhòng : grow something	种
zhòng : heavy	重
zhòngyào : important	重要
zhōu : state, continent	州
zhū : pig	猪
zhūròu : pork	猪肉
zhú : bamboo	竹
zhǔ : boil, cook	煮
zhǔnbèi : prepare	准备
zhǔrén : owner	主人
zhǔxí : chairman	主席
zhǔyàodě : main, major	主要的
zhù : live	住
zhùzài : reside	住在
zhuā : grasp	抓
zhuāzhù : catch	抓住
zhuāngmǎn : to fill	装满
zhuāngyán : magnificent	庄严
zhuāngyùn : pack and ship	装运
zhuōzǐ : table	桌子
zījīn : capital (money)	资金
zì : word	字
zìdiǎn : dictionary	字典
zìjǐ : self, yourself	自己
zìrán : nature	自然
zìxíngchē : bicycle	自行车

zǒngjī : switchboard　　　总机
zǒngshì : always　　　总是
zǒu : go, walk　　　走
zúqiú : football (soccer)　　　足球
zǔmǔ : grandmother　　　祖母
zuì : most　　　最
zuìdàdě : largest　　　最大的
zuìhǎodě : best　　　最好的
zuìhòu : finally　　　最后
zuìhòudě : last　　　最后(的)
zuìjìn : recently　　　最近
zuótiān : yesterday　　　昨天
zuǒ : left side　　　左
zuǒyòu : approximately　　　左右
zuò : ride in, on　　　坐
zuò : sit　　　坐
zuò : do, does　　　做
zuò : make, made　　　作
zuò : did, done　　　做
zuògōng : work (v.)　　　做工
zuòshì : work (v.)　　　做事
zuòwèi : a seat　　　座位

Quick Reference by Category

Clothes

dress : fúzhuāng	服装
hat : màozi	帽子
jacket : jiákè, duǎnwàiyī	茄克, 短外衣
length : chángduǎn	长短
overcoat : dàyī	大衣
pants : chángkù, kùzi	长裤, 裤子
shirt : chènshān	衬衫
shoes : xié(zi)	鞋(子)
size : dàxiǎo	大小
skirt : qúnzi	裙子
socks : wàzi	袜子
style : yàngzi	样子
suit of clothes : xīzhuāng	西装

Colors

black : hēi(de)	黑(的)
blue : lán(de)	蓝(的)
brown : kāfēisè	咖啡色
green : lǜ(de)	绿(的)
orange : júhóng	桔红
pink : fěnhóng(de)	粉红(的)
red : hóng(de)	红(的)
white : bái(de)	白(的)
yellow : huáng(de)	黄(的)

Common Animals

bird : niǎo		鸟
cat : māo		猫
chicken : jī		鸡
cow : niú		牛
deer : lù		鹿
dog : gǒu		狗
duck : yāzǐ		鸭子
fish : yú		鱼
fly : cāngyǐng		苍蝇
goat : yáng, shānyáng		羊, 山羊
goose : é		鹅
horse : mǎ		马
insect : chóngzǐ		虫子
monkey : hóuzǐ		猴子
pig : zhū		猪
rabbit : tùzǐ		兔子
sheep : yáng		羊
snake : shé		蛇
tortoise : wūguī		乌龟

Countries, Language, Currency

foreign country : wàiguó		外国
foreign currency : wàibì		外币
foreign language : wàiwén		外文

	Country	*Language*	*Currency*
Canada	Jiānádà	Yīngwén, Fǎwén	jiābì
Federal Republic of Germany	Déguó	Déwén	mǎkè
France	Fǎguó	Fǎwén	fǎláng
Hong Kong	Xiānggǎng	Guǎngdōnghuà	gǎngbì
Italy	Yìdàlì	Yìwén	Yìbì
Japan	Rìběn	Rìwén	rìbì
People's Republic of China	Zhōngguó	Zhōngwén	Rénmínbì
Spain	Xībānyá	Xībānyáwén	xībì
Union of Soviet Socialist Republics	Sūlián	Èwén	lúbù
United Kingdom	Yīngguó	Yīngwén	yīngbàng
United States	Měiguó	Yīngwén	měijīn

Directions

above (top) : shàngtóu   上头
back : hòutóu   后头
below (bottom) : xiàtóu   下头
east : dōng   东
front : qiántóu   前头
inside : lǐtóu   里头
left : zuǒ   左
north : běi   北
outside : wàitóu   外头
right : yòu   右

129

Quick Reference: Emergencies

side : pángbiān 旁边
south : nán 南
straight ahead : yìzhí 一直
west : xī 西

Emergencies

abdominal pain : dùzǐténg 肚子疼
accident : shìgù, yìwài 事故, 意外
acupuncture : zhēnjiǔ 针灸
allergy : guòmǐn 过敏
ambulance : jiùhùchē 救护车
antibiotic : kàngshēngsù 抗生素
aspirin : āsīpǐlín 阿斯匹林
blood : xiě, xuě 血
body : shēntǐ 身体
breathe : hūxī 呼吸
bruise, wound : shāngkǒu 伤口
burn : shāoshāng 烧伤
chest pain : xiōngkǒuténg 胸口疼
cold : gǎnmào 感冒
contagion : chuánrǎn 传染
cough : késòu 咳嗽
diarrhea : xièdù, lādùzǐ 泻肚, 拉肚子
doctor : dàifù, yīshēng 大夫, 医生
emergency room : jízhěnshì 急诊室
fever : fāshāo 发烧
flu : gǎnmào 感冒
headache : tóuténg 头疼

health : jiànkāng	健康
help : bāngzhù	帮助
hospital : yīyuàn	医院
illness : bìng	病
infection : fāyán	发炎
itch : yǎng	痒
medicine : yào	药
not well : bùshūfú	不舒服
operation : shǒushù	手术
pain : téng	疼
pharmacy : yàofáng	药房
police station : jǐngchájú	警察局
policeman : jǐngchá	警察
prescription : yàofāng	药方
pulse : màibó	脉搏
sick : bìnglě	病了
sore throat : hóulóngténg	喉咙疼
stomach ache : wèiténg	胃疼
symptom : zhèngzhuàng	症状
toothache : yátòng	牙疼
x-ray : tòushì, x-guāng	透视，X-光

Food and Drink

Meals

breakfast : zǎofàn	早饭
Chinese food : zhōngcài	中菜
dining room : fàntīng	饭厅
dinner : wǎnfàn	晚饭

131

Quick Reference: Food and Drink

lunch : wǔfàn　　午饭
meal : chīfàn　　吃饭
menu : càipǔ, càidān　　菜谱, 菜单
restaurant : fànguǎn　　饭馆
western food : xīcài　　西菜

Utensils

bowl : wǎn　　碗
chopsticks : kuàizǐ　　筷子
fork : chāzǐ　　义子
glass : bēizǐ　　杯子
knife : dāozǐ　　刀子
plate : pánzǐ　　盘子
spoon : sháozǐ　　勺子
teapot : cháhú　　茶壶
utensil : yòngjù　　用具

Food

boiled rice : mǐfàn, fàn　　米饭, 饭
food : shípǐn　　食品
rice : mǐ　　米
rice gruel : xīfàn　　稀饭

Dishes

bean curd : dòufǔ　　豆腐
beef : niúròu　　牛肉
boiled dumpling : shuǐjiǎo, jiǎozǐ　　水饺, 饺子
bread : miànbāo　　面包
butter : huángyóu　　黄油
chicken : jī　　鸡

Quick Reference: Food and Drink

coldmeat platter : pīnpán   拼盘

dish : cài   菜

duck : yāzi   鸭子

dumsum : diǎnxīn   点心

egg : jīdàn   鸡蛋

fish : yú   鱼

fried dumpling : guōtiē   锅贴

goat : shānyángròu   山羊肉

goose : é   鹅

hors d'oeuvres : diǎnxīn   点心

lamb : yángròu   羊肉

noodles : miàntiáo   面条

pork : zhūròu   猪肉

rice-flour-wheat : mífěnròu   米粉肉

salad : shālā   沙拉

seafood : hǎixiān   海鲜

steamed bun : bāozi   包子

steamed dumpling : jiǎozi   饺子

steamed roll : mántou   馒头

thick soup : gēng   羹

thin soup : tāng   汤

wonton : húntǔn   馄饨

Vegetables

bamboo shoots : sǔn   笋

bean sprouts : dòuyá   豆牙

carrots : hóngluóbō   红萝卜

corn : yùmi   玉米

cucumber : huángguā   黄瓜

eggplant : qiézi   茄子

Quick Reference: Food and Drink

lotus root : ǒu   藕
mushroom : mógū   蘑菇
onion : cōng   葱
potatoes : tǔdòu   土豆
spinach : bōcài   菠菜
string beans : biǎndòu   扁豆
tomato : xīhóngshì   西红柿
turnip : luóbǒ   萝卜
vegetable : shūcài, qīngcài   蔬菜, 青菜

Desserts and Fruits

apple : píngguǒ   苹果
banana : xiāngjiāo   香蕉
cake : dàngāo   蛋糕
chewing gum : kǒuxiāngtáng   口香糖
chocolate : qiǎokèlì   巧克力
cookies : bǐnggān   饼干
desserts : gāodiǎn   糕点
fruits : shuǐguǒ   水果
ice cream : bīngqílín   冰淇淋
lemon : níngméng   柠檬
lichee : lìzhī   荔枝
orange : júzi   桔子
peach : táo   桃
peanuts : huāshēng   花生
pear : lí   梨
persimmon : shìzi   柿子
pineapple : bōluó   菠萝
sesame cakes : shāobing   烧饼
watermelon : xīguā   西瓜

Quick Reference: Food and Drink

Drinks
beer : píjiǔ   啤酒
black tea : hóngchá   红茶
boiled water : kāishuǐ   开水
coffee : kāfēi   咖啡
cold drinking water : liángkāishuǐ   凉开水
drink : yǐnliào   饮料
fruit juice : guǒzhī   果汁
green tea : lǜchá   绿茶
ice : bīng   冰
milk : niúnǎi   牛奶
mineral water : kuàngquánshuǐ   矿泉水
orange soda : júzǐshuǐ   桔子水
soda : qìshuǐ   汽水
tea : chá   茶
wine : pútaójiǔ   葡萄酒
   (red) : (hóng)   (红)
   (white) : (bái)   (白)

Spirits
brandy : báilándì   白兰地
maotai : máotái   茅台
spirits : lièjiǔ   烈酒
whisky : wēishìjì   威士忌
vodka : édékè   俄得克

Types of Cooking
boiled : zhǔ   煮
fried (pan) : jiān   煎
   (deep) : zhá   炸

135

Quick Reference: Food and Drink

red cooked : hóngshāo   红烧
roast : kǎo   烤
steamed : zhēng   蒸
stir fried : chǎo   炒

Western Breakfast
eggs : jīdàn   鸡蛋
ham : huótuǐ   火腿
jam : guǒjiàng   果酱
juice : shuǐguǒzhī   水果汁
toast : kǎomiànbāo   烤面包
Western breakfast : xīshìzǎofàn   西式早饭
yogurt : suānniúnǎi   酸牛奶

Spices
chili pepper : làjiāo   辣椒
garlic : suàn   蒜
ginger : jiāng   薑
oil : yóu   油
pepper : hújiāofěn   胡椒粉
salt : yán   盐
soy sauce : jiàngyóu   酱油
spice : zuóliào   作料
sugar : táng   糖
vinegar : cù   醋

Tastes
acid : suān   酸
bitter : kǔ   苦
hot : rè   热

Quick Reference: Parts of Body

pepper : là   辣
salty : xián   咸
sour : suān   酸
sugar : táng   糖
sugar-vinegar : tángcù   糖醋
sweet : tián   甜
tastes : kǒuwèi   口味

Parts of Body

abdomen : dùzi   肚子
ankle : huáigǔ   踝骨
arm : gēbó, shǒubì   胳膊，手臂
blood : xuě, xiě   血
bones : gǔtoù   骨头
bowels : chángzi   肠子
chest : xiōngtáng   胸膛
ear : ěrduō   耳朵
eye : yǎnjīng   眼睛
face : liǎn   脸
finger : shǒuzhǐtoù   手指头
foot : jiǎo   脚
hair : máo, tóufǎ   毛，头发
hand : shǒu   手
head : tóu   头
heart : xīn   心
jaw : è, xìa'è   颚，下颚
knee : xīgài, xī   膝蓋，膝
leg : tuǐ   腿

Quick Reference: Rooms

lungs : fèi		肺
mouth : kǒu, zuǐ		口 , 嘴
muscle : jīròu		肌肉
neck : bózǐ		脖子
shoulder : jiān		肩
stomach : wèi		胃
teeth : yáchǐ		牙齿
throat : hóulóng		喉咙
toe : jiǎozhǐtóu		脚指头
tongue : shétóu		舌头

Rooms

bathroom : xǐzǎojiān		洗手间
bedroom : wòshì		卧室
dining room : fàntīng		饭厅
double room : shuāngrénfáng		双人房
kitchen : chúfáng		厨房
living room : kètīng		客厅
room : fángjiān		房间
single room : dānrénfáng		单人房
study room : shūfáng		书房
toilet : cèsuǒ		厕所

Seasons

fall : qiūtiān		秋天
season : jìjíe		季节

spring : chūntiān	春天
summer : xiàtiān	夏天
winter : dōngtiān	冬天

Time

afternoon : xiàwǔ	下午
day : tiān	天
day after tomorrow : hòutiān	后天
day before yesterday : qiántiān	前天
daytime : báitiān	白天
evening : wǎnshàng	晚上
every day : měitiān	每天
forenoon : shàngwǔ	上午
hour : zhōngtóu	钟头
last month : shànggèyuè	上个月
last week : shànggèxīngqī	上个星期
last year : qùnián	去年
minute : fēn	分
morning : zǎoshàng	早上
next month : xiàgèyuè	下个月
next week : xiàgèxīngqī	下个星期
next year : míngnián	明年
night : yèlǐ	夜里
noon : zhōngwǔ	中午
second : miǎo	秒
this month : zhègèyuè	这个月
this week : zhègèxīngqī	这个星期
this year : jīnnián	今年

Quick Reference: Numbers—Hàomǎ

time : shíjiān		时间
today : jīntiān		今天
tomorrow : míngtiān		明天
which day : něitiān		那天
which month : něigèyuè		那个月
which week : něigèxīngqī		那个星期
which year : něinián		那年
yesterday : zuótiān		昨天

NUMBERS—Hàomǎ

one : yī		一
two : èr		二
three : sān		三
four : sì		四
five : wǔ		五
six : liù		六
seven : qī		七
eight : bā		八
nine : jiǔ		九
ten : shí		十
eleven : shíyī		十一
twenty : èrshí		二十
ninety-nine : jiǔshíjiǔ		九十九

1	yī	一
10	shí	十
100	yībǎi	一百
1000	yìqiān	一千

Quick Reference: Measure Words

10,000	yíwàn	一万
100,000	shíwàn	十万
1,000,000	yìbǎiwàn	一百万
10,000,000	yìqiānwàn	一千万
100,000,000	yí wànwàn or yīyì	万万, 一亿
1,000,000,000	shíwànwàn	十万万
first, second, etc.	dìyī, dìèr, etc.	第一, 第二, ...
number of things	yīgě, liǎnggě, sāngě, etc.	一个, 两个, 三个, ...
one percent	bǎifēnzhīyī	百分之一
one tenth, etc.	shífēnzhīyī	十分之一

Measure Words

bǎ	flowers, grain
bāo	packages
běn	books
bù	set (of books); piece (of music)
dǐng	hat
fèn	newspapers, magazines
fēng	letters
*gè	most things
jià	airplanes, machines
jiān	rooms, shops
jiàn	coats, clothes
jié	lessons, class periods

*NOTE: the measure word "gè" can be used almost universally with all nouns and can thus replace the other measure words listed above

Quick Reference: Measure Words

jù	sentences
kē	trees
kè	lessons
kuài	soap, candy
kuài	for Chinese money (verbal)
liàng	vehicles
píng	bottles
shēng	measures speech
tái	machines
tiáo	streets, pants, fish, rope
wèi	people (polite)
yuán	for Chinese money (written)
zhāng	thin, flat things—maps, pictures, records, beds
zhī	animals, small objects
zhī	writing instruments
zhī	branch units of things
zuò	mountains, buildings of more than one storey

Some Useful Sentences

How are you?
Nǐhǎo?

I am fine.
Wǒhǎo. (or Hěn hǎo.)

Are you alright?
Hǎobùhǎo?

Good morning.
Zǎo.

What is your surname?
Nǐ xìng shénme?

What is your first name?
Nǐ jiào shénme míngzì?

My name is _____.
Wǒxìng (jiao) _____.

Please come in.
Qǐngjìn.

Please sit down.
Qǐngzuò.

May I ask ... ?
Qǐngwèn ... ?

Goodbye.
Zàijiàn.

See you tomorrow.
Míngtiān jiàn.

Thank you.
Xièxiènǐ.

You're welcome.
Búxiè. Búkèqi.

I am Mr. _____.
Wǒshì _____ xiānshēng.

    Mrs.
tàitài.

    teacher
lǎoshī.

    Doctor
dàifu

    comrade
tóngzhì.

What is this called?
Qǐngwèn, zhègè dōngxī jiào shénme?

How much does this cost?
Zhègè dōngxī duōshǎoqián.

How do you say _____ in Chinese?
_____ Zhōngwén zénme shuō?

How do you say this (pointing to) in Chinese.
Zhègè dōngxī Zhōngwén zénme shuō?

Some Useful Sentences

Do you speak Chinese (or English)?	Nǐ huì shuō Zhōngwén (or Yīngwén) mǎ?
I speak a little.	Wǒ huì shuō yìdiǎn (r).
I don't speak Chinese.	Wǒ bú huì shuō Zhōngwén.
What nationality are you?	Nǐ shì nǎguó rén?
I am American.	Wǒ shì Měiguó rén.
Please, drink tea.	Qǐng hē chá.
Excuse me. I'm sorry.	Duì bú qǐ.
Who is that?	Tā shì shuí?
What is _____?	Zhègè shì shénmě _____?
It doesn't matter.	Méiguānxì.
What is the matter?	Zěnmělě?
Do you have T.V.?	Nǐ yǒu diànshì mǎ?
I want to make a telephone call. (long distance call)	Wǒ yào dǎdiànhuà. (chángtú)
I want to send a telegram.	Wǒ yào dǎdiànbào.
What does this mean?	Zhè shì shénmě yìsǐ?
Where is _____?	_____ zài nǎr?
How do you get there?	Zěnmě zǒu?
Let's go.	Wǒměn zǒubǎ.
Wait a minute.	Děngyīděng. (or Děngyīxià.)
I am pleased to meet you.	Jiàndàonǐ hěngāoxìng.
Serve the people.	Wèirénmínfúwù.
How old are you? (over 10)	Nǐduōdà?
How old are you? (under 10)	Nǐjǐsuì?
Please speak more slowly.	Qǐng nǐ shuō màn yìdiǎn(r).
Please repeat.	Qǐng nǐ zài shuō.
What is this?	Zhègè shì shénmě dōngxǐ?
Where are you going?	Nǐ dào nǎr qù?

Where are you?	Nǐ zài nǎr?
I don't like this.	Wǒ bù xǐhuān zhègě.
What time is it?	Jǐdiǎnzhōnglě?
What time is it now?	Xiànzài (shì) jǐdiǎn(zhōng)?
How is the weather?	Tiānqì zěnměyàng?
Please give me a little _____.	Qǐng nǐ gěi wǒ yìdiǎn (r) _____.
Please find someone who speaks.	Qǐng nǐ zhǎo yīgě dǒng Yīngwéndě rén.
I need to see a doctor.	Wǒ yào kàn yīshēng.
It's up to you. As you wish.	Suíbiàn nǐ.
I want some _____.	Wǒ yào yìxiē _____.
I want to exchange some money.	Wǒ yào huàn yìxiē qián.
I don't know.	Wǒbùzhīdào.
Which kind do you want?	Nǐ yào nǎ yàngdě?
What is the difference between _____ and _____?	_____ gēn _____ yǒu shénmě bùtóng?
What is the date? (today)	(Jīntīan) jǐ hào?
There is no difference.	Méiyǒu bùtóng.
Where do you live (is your home)?	Nǐ zhù (jiā) zài nǎr?
What place is this?	Zhègě shì shénmě dìfāng?
How did you come here?	Nǐ shì zěnmě láidě?
Don't cut my hair too much.	Lǐfà bùyào jiǎn tàiduǎn.
Wish you good health!	Zhù nǐ jiànkāng!
Bottoms up!	Gānbēi!
In a moment.	Yīxiàzǐ.
Please write it down.	Qǐng xiěxiàlái.

145

Some Useful Sentences

Hurry up.	(Nǐ) kuàiyìdiǎn(r).
Where's the bathroom?	Xǐzǎojiān (or yùshì) zài nǎr?
Where's the toilet?	cèsuǒ zài nǎr?
May I take a picture?	Wǒ kěyǐ zhàoxiàngmǎ?
May I take a picture for you?	Wǒ kěyǐ gěinǐ zhàoxiàngmǎ?
Have a peaceful journey.	Yílùpíngān.

Common Phrases

All complete. (all are here)	Dōu zài.
The food was good.	Hěn hǎo chī.
I've had enough food.	Chī bǎolě.
It's nothing.	Méi shénmě shì.
Trouble you.	Máfånnǐ.
Wait a minute.	Děng yíhuír.
See you in a moment.	Yí huír jiàn.
How many hours?	Jǐgě zhōngtóu?
Let's go.	Zǒubå.
I'm hungry	Wǒ èlě.
You are working well	Gàndě hěn hǎo.

Some Proper Names

Great Wall : Chángchéng
Forbidden City (Palace Museum) :
　Gùgōng
National Historical Museum : Lìshǐ
　Bówùguǎn
Ming Tombs : Mínglíng
Temple of Heaven : Tiāntán
Summer Palace : Yíhéyuán
Peking Man Site : Zhōukǒudiàn
Yellow River : Huánghé
Peking : Běijīng
Shanghai : Shànghǎi
Canton : Guǎngzhōu
Tibet : Xīzàng
Yangtse River : Chángjiāng

Chinese Place Names

Anhwei (province)	Anhui	安徽
Hofei (provincial capital)	Hefei	合肥
Chekiang	Zhejiang	浙江
Hangchow	Hangzhou	杭州
Kirin	Jilin	吉林
Changchun	Changchun	长春
Chinghai	Qinghai	青海
Hsining	Xining	西宁
Fukien	Fujian	福建
Foochow	Fuzhou	福州
Heilungkiang	Heilongjiang	黑龙江
Harbin	Harbin	哈尔滨
Honan	Henan	河南
Chengchow	Zhengzhou	郑州
Hopei	Hebei	河北
Shihchiachuang	Shijiazhuang	石家庄
Hunan	Hunan	湖南
Changsha	Changsha	长沙
Hupeh	Hubei	湖北
Wuhan	Wuhan	武汉
Inner Mongolia (autonomous region)	Nei Monggol (autonomous region)	內蒙古
Huhehot	Hohhot	呼和浩特
Kansu	Gansu	甘肃
Lanchow	Lanzhou	兰州

Chinese Place Names

Kiangsi	Jiangxi	江西
Nanchang	Nanchang	南昌
Kiangsu	Jiangsu	江苏
Nanking	Nanjing	南京
Kwangsi (Chuang autonomous region)	Guangxi (Zhuang autonomous region)	广西
Nanning	Nanning	南宁
Kwangtung	Guangdong	广东
Kwangchow	Guangzhou	广州
Kweichow	Guizhou	贵州
Kweiyang	Guiyang	贵阳
Liaoning	Liaoning	辽宁
Shenyang	Shenyang	沈阳
Ningsia (Hui autonomous region)	Ningxia (Hui autonomous region)	宁夏
Yinchuan	Yinchuan	银川
Peking (national capital)	Beijing (national capital)	北京
Shanghai (municipality)	Shanghai (municipality)	上海
Shansi	Shanxi	山西
Taiyuan	Taiyuan	太原
Shantung	Shandong	山东
Tsinan	Jinan	济南
Shensi	Shaanxi	陕西
Sian	Xi'an	西安
Sinkiang (Uighur autonomous	Xinjiang (Uygur autonomous	新疆

region)	region)	
Urumchi	Urumqi	乌鲁木齐
Szechwan	Sichuan	四川
Chengtu	Chengdu	成都
Taiwan	Taiwan	台湾
Taipei	Taibei	台北
Tibet (autonomous	Xizang (autonomous	西藏
region)	region)	
Lhasa	Lhasa	拉萨
Tientsin	Tianjin	天津
(municipality)	(municipality)	
Yunnan	Yunnan	云南
Kunming	Kunming	昆明

Chronology of Chinese Dynasties

Hsia	Xià	ca. 21st cent. BC–16th cent. BC
Shang	Shāng	ca. 16th cent. BC–11th cent. BC
Chou	Zhōu	ca. 11th cent. BC–221 BC
Ch'in	Qín	221 BC–207 BC
Han	Hàn	206 BC–AD 220
Three Kingdoms	Sān Guó	220–280
Western Jin	Xī Jìn	265–316
Eastern Jin	Dōng Jìn	317–420
Northern & Southern	Nán Běi Cháo	420–581
Sui	Suí	581–618
T'ang	Táng	618–907
Five Dynasties	Wǔ Dài	907–960
Sung	Sòng	960–1279
Kitan	Liáo	916–1125
Western Hsia	Xià	1032–1227
Nurchen	Jīn	1115–1234
Mongol	Yuán	1271–1368
Ming	Míng	1368–1644
Manchu	Qīng	1644–1911

Bibliography

In order of usefulness

Phrase Books
1. *China Traveler's Phrase Book*.
   Bennett Lee and Geremie Barmé. Eurasia Press, New York, 1980.
2. *Going to China*,
   Mary Chaing. China Publications, California, 1979.

Elementary Texts
1. *Elementary Chinese Part I and II*.
   Foreign Language Press, Beijing, 1972.
2. *Modern Chinese, A Basic Course* (with records).
   Faculty of Peking University. Dover Press, New York, 1971.
3. *Chinese for Beginners* (from *China Reconstructs*).
   Foreign Language Press, Beijing, 1976.

Dictionaries
1. *Pīnyīn-Yīngwén, Yīngwen-Pīnyīn, ZìDiǎn*.
   10,000 entries. Foreign Language Press, Beijing, 1980.
2. *Xīnhùa ZìDiǎn, Hànzì-Pīnyīn*.
   With simplified characters. Foreign Language Press, Beijing, 1975.
3. *Chinese to English Dictionary, Xīnhuá ZiDiǎn*.
   Pīnyīn-English plus Hànzì. C.K. Wu, CLRA, 1978.

Bibliography

4. *A Chinese-English Dictionary*, The Foreign Language Institute of Beijing. The Commercial Press, Hong Kong, 1979.
5. *A New English-Chinese Dictionary*. Joint Publishing Co., Hong Kong, 1976.